O LIVREIRO

PEDRO HERZ

sumário

9
[prefácio]
Entre Kuala Lumpur e Nova York
Contardo Caligaris

15
[cap 1]
Brasil em crise, leitores, idem: reflexões noturnas

21
[cap 2]
Nasce a Biblioteca Circulante, célula mater da Livraria Cultura

25
[cap 3]
Construindo a nova vida em São Paulo

33
[cap 4]
E nem era piada de papagaio...

39
[cap 5]
O nascimento do livreiro: Pedro, vá ver o mundo

49
[cap 6]
Cuidado, chimpanzé a bordo

53
[cap 7]
Visitas ao porto, memórias da chegada

59
[cap 8]
Paulista, a avenida do futuro

67
[cap 9]
Militantes, censores e arapongas

75
[cap 10]
Vinicius, a doce figura de um poeta maior

83
[cap 11]
Entre linguicinhas e bom *scotch*, nasce uma editora

89
[cap 12]
Saber crescer, eis o segredo do negócio

95
[cap 13]
A primeira Feira de Frankfurt a gente nunca esquece...

105
[cap 14]
Como cheguei a um novo conceito de livraria

113
[cap 15]
Ocupar o Cine Astor: o desejo secreto virou realidade

123
[cap 16]
Alguém pode me dizer para onde vai o varejo?

129
[cap 17]
Outra revolução tecnológica bate à nossa porta

137
[cap 18]
Pioneirismo é bom, mas dá trabalho

143
[cap 19]
Da arte de ver e ser visto

149
[cap 20]
Da arte de se convidar sem ser chamado

153
[cap 21]
Sorria, Pedro, você está sendo filmado

159
[cap 22]
As dores do parto sucessório: viver é passar

169
[cap 23]
Pedro, perdemos o teatro

175
[cap 24]
Por obra e graça das musas, o incrível pode acontecer

181
[cap 25]
A criança e o livro, uma relação cultivada em casa

189
[cap 26]
Minha cidadania não pode esperar

195
[cap 27]
Nem tudo são flores...

202
[cap 28]
Os próximos setenta anos: navegando tempos incertos

ANEXOS

211
Revista ZH – Diário de Bordo
Moacyr Scliar

213
Só São Paulo faria uma livraria assim
Ignácio de Loyola Brandão

Entre Kuala Lumpur e Nova York

CONTARDO CALLIGARIS

PREFÁCIO

Nunca estive em Kuala Lumpur, capital da Malásia, que, na minha fantasia, é uma cidade paradoxal, com edifícios modernos e sarjetas pobres e animadíssimas.

Por alguma razão, que não consigo identificar, meço meus amigos pelo "Teste Kuala Lumpur". Tive e tenho muitos amigos que não são Kuala Lumpur, e outros poucos, pouquíssimos que o são. Funciona assim:

Você está em Kuala Lumpur e, numa noite, desavisado, aventura-se pelos bairros mais perigosos da cidade (afinal, só se vive uma vez). Mas a coisa não acaba bem. Será que você foi agredido ou será que colocaram algo suspeito na sua bebida? Tanto faz. Você perdeu tudo: dinheiro, cartões de crédito e débito, passagens e documentos. Só sobrou a roupa do corpo (suja e reduzida ao mínimo), com os bolsos vazios. Antes que você saia à procura do consulado, você tem direito a fazer um telefonema para pedir ajuda. Para quem você liga?

Tem que ser alguém que não vá julgar você pelo seu passeio nas sarjetas, alguém que não o questione e que aja, na hora, sem hesitar – por exemplo, parando o que está fazendo (onde quer que esteja) e pegando um avião para ir ao seu socorro.

Pois bem, Pedro Herz é meu amigo Kuala Lumpur – o único, no momento. É para ele que eu ligaria em primeiro lugar, e depois ficaria tranquilo esperando sua chegada.

Os amigos Kualu Lumpur devem ser capazes de decidir rapidamente o que é essencial e o que não é. Eles devem conseguir pensar (sem isso, a conversa com eles seria chata demais), mas sem deixar de agir – por exemplo, sem hesitar, subir no primeiro avião mesmo se esquecendo da escova de dentes. Nisso, aliás, ser filho de pais judeus que fugiram da Europa no fim dos anos 1930 é, por si só, um ponto a favor.

Conheci Pedro em 1996 ou 1995, não sei mais, mas sei que foi em Nova York, na casa do Gilberto Dimenstein, na Broadway.

Eram aqueles anos em que um real valia um dólar, e Rudolph Giuliani iniciava o seu mandato na prefeitura: a cidade de Nova York era pacificada sem ter se tornado ainda excessivamente careta. Havia um grupo de brasileiros que se reunia ou se cruzava com frequência nas casas uns dos outros. Arnaldo Jabor, Gilberto e eu, entre outros, estávamos morando lá. Babenco ficou um tempo, por razões de saúde e para montar *Coração iluminado*. E Pedro passava por ali com frequência. Enfim, uma noite fui jantar na casa do Gilberto, que sempre convidava todo mundo que estivesse vivendo em Nova York ou apenas de passagem. Para alimentar seus convidados, Gilberto, que acabava de voltar de uma viagem à Índia, tinha previsto uísque à vontade e uma enorme (mas enorme mesmo) peça de queijo parmesão. Bebida e comida estavam bem no meio da mesa de centro da sala. O que provavelmente dava a impressão de que aquilo fosse o tira-gosto. Mas não era.

Atenção, isso não era para economizar: o uísque era de qualidade e em garrafa *magnum*, e o parmesão, italiano. O regime proposto ou oferecido era generoso, mas impossível.

Não parava de chegar gente e, na entrada, acumulava-se uma montanha de casacos. A sala já estava cheia; como sempre, havia gente sentada no chão ao redor da mesa, ou seja, em volta do parmesão.

Gilberto contava da Índia. Pedro e eu nos olhamos; éramos os únicos a ter entendido que o parmesão e o uísque eram tudo o que Gilberto havia previsto. A gente não se conhecia, mas não foi necessário falar; demos uma volta silenciosa pela cozinha: a geladeira estava deserta. Sem dizer nada, pescamos nossos casacos no fundo da pilha e fomos para a rua, subimos um pequeno pedaço da Broadway e entramos numa delicatéssen onde compramos o necessário, salmão, outros peixes defumados, *bagels*, creme de leite, picles, *coleslaw* e por aí vai. A conversa girava apenas sobre as escolhas que fazíamos e, eventualmente, a quantidade, considerando o número de pessoas que já estava lá em cima e que talvez ainda chegasse. Dividimos a conta e voltamos.

A nossa amizade nasceu pela economia de palavras inúteis, e a reação prática, sem teatralidade. Esses devem ser os atributos básicos de qualquer amigo Kuala Lumpur, aliás.

Durante os anos em que vivi em Nova York, passamos a nos encontrar, quando Pedro passava por lá ou eu estava em São Paulo, o que acontecia uma semana por mês. Tínhamos (ainda temos, aliás) caixas de hashis reservadas no nosso restaurante japonês preferido. Ele mantinha também, nesse restaurante, uma garrafa de uísque. Mas nada de parmesão.

Com isso, faz vinte anos ou mais que a gente é amigo. Mas o que define uma amizade não são as conversas, são os momentos Kuala Lumpur, ou coisa parecida.

Era a noite de Natal de 1998 ou 1999, em Boston, ou melhor, em Brookline, Massachusetts, e fazia realmente um frio do cão. Das janelas da minha casa, a gente viu um incêndio, não muito longe.

Deixamos nossas companheiras diante da lareira acesa, colocamos todos os casacos possíveis sem que parecêssemos astronautas e corremos para lá. Como estávamos nos Estados Unidos e, ainda por cima, em Massachusetts, os bombeiros estavam lá desde sempre. Não salvamos nem sequer um gato. Demos a volta na casa em chamas, com dificuldade, tentando não cair. Por conta do frio incrível, apesar do incêndio, a água despejada pelos bombeiros se transformava em gelo assim que batia na fachada do edifício e, pior ainda, no chão. A calçada virou uma pista de patinação, e nós estávamos sem patins. Enfim, não servimos para coisa alguma, mas estávamos lá. Para ajudar se fosse necessário.

Em 2004, depois de dez anos nos Estados Unidos, tive que decidir. Eu não aguentava mais o tranco de clinicar em duas cidades tão distantes e de passar tantas noites no avião. Calculei que, em 2004, dormi quase um mês inteiro, trinta dias, voando. A questão era: fechar São Paulo e ficar só com o meu consultório em Nova York ou, ao contrário, voltar a São Paulo definitivamente.

Havia argumentos de todo tipo, e não foi uma escolha simples. Mas, ainda hoje, quando me perguntam por que, tendo a opção de permanecer em Nova York, escolhi São Paulo, eu sempre respondo que escolhi por duas razões: a qualidade dos amigos e o caráter cosmopolita da cidade.

Sobre os amigos, eu só tinha dois amigos Kuala Lumpur, um na Itália e um em São Paulo – nenhum em Nova York.

Como assim, você dirá: São Paulo é mais cosmopolita que Nova York? Na verdade, todas as cidades, quando vivemos nelas um tempo, acabam parecendo provincianas, mas, para medir o "cosmopolitismo", há um critério. Por vários acidentes do destino, e de minha história, falo e leio em diversos idiomas. E sigo uma regra absoluta que vem de meu passado acadêmico: nunca leio em tradução um livro que eu seria capaz de ler na língua na qual foi escrito.

Numa época não muito longínqua, não sei se isso acontecia propositalmente ou por acaso, quando um livro saía em tradução portuguesa, a Livraria Cultura sempre já havia se antecipado, estocando algumas cópias do mesmo livro na língua original. De modo que você, querendo ler aquela obra cuja edição brasileira era anunciada na imprensa, e podendo lê-la em inglês, francês, italiano ou alemão, não precisava encomendar de longe e esperar.

Mas esse era apenas um detalhe. As livrarias são sempre minhas segundas casas. Quando sumiu a livraria da Calle Larga XXII de Marzo, em Veneza, fiquei de luto; custei anos até atravessar a ponte da Academia e me familiarizar com as livrarias perto de Ca'Foscari. Quando a Barnes & Noble ao lado de meu apartamento em Nova York, na Broadway com a rua 66, fechou (e, *mamma mia*, foi substituída por uma Century 21), pensei seriamente em voltar a morar na Union Square. Renuncio a fazer uma lista maior das livrarias da minha vida, porque teria que verificar quais sobreviveram e quais sumiram, e não quero me entristecer.

Mas o fato é que nenhuma livraria de Nova York ou de Paris venderia uma proporção de livros em língua estrangeira comparável com o que acontece em São Paulo, na Cultura. É só na minha livraria preferida, no Conjunto Nacional, em São Paulo, que consigo realizar uma espécie de ilusão de que há um mundo só, uma única pátria, que fala várias línguas, que são apenas dialetos de uma condição comum.

Um dia desses, vou para Kuala Lumpur, para ver como são as livrarias por lá.

CONTARDO CALLIGARIS
Psicanalista e escritor

1
Brasil em crise, leitores, idem: reflexões noturnas

Sabe aquelas noites quando você acorda e começa a pensar no que fazer para ajudar o país a andar para a frente? Pois eu tenho essas madrugadas. É sempre o longo desfile das horas. O silêncio do apartamento. O ruído distante dos carros. E as preocupações buzinando na minha cabeça. Eu já acordava pensando na nossa empresa, a Livraria Cultura, onde vivo cotidianamente a responsabilidade de administrar 17 lojas, 1,5 mil funcionários, 5 milhões de clientes, 9 milhões de produtos. Pois essa responsabilidade crescerá ainda mais: acabamos de comprar as operações da FNAC no Brasil. Um namoro entre empresas que começou anos atrás, cujo final feliz acontece agora. Isso implica administrar mais 12 lojas, 600 funcionários, outros milhões de produtos, parte deles em segmentos que jamais experimentamos. Pedro, em que belo desafio você se meteu, justo num país em crise! Pois é, como sempre digo, querem me deixar cabeludo de preocupação...

Mas, garanto que nem só de fantasmas se faz uma vigília noturna. Nas minhas divagações, ideias inesperadas também costumam vir à mente e parecem fazer todo sentido. Posso dar um exemplo. Não faz muito tempo descobri qual seria o meu plano emergencial para o Brasil, para nos livrar dessa crise que se prolonga. Fosse eu o presidente, reuniria todo o ministério e diria o seguinte: "Os senhores terão um mês para fazer um levantamento de todos os contratos das suas pastas e analisá-los um por um. Abram os contratos, identifiquem todas as formas de mau uso do dinheiro público e voltem aqui para conversar". Meu plano pode parecer inverossímil, ineficaz, absolutamente ingênuo, mas estou totalmente convencido de que o desperdício é o grande mal brasileiro. Jorramos recursos na crença de que são infinitos. E não são.

Quer saber outro grande mal do nosso país, particularmente da classe política que nos representa? "Tudo o que o meu antecessor fez não presta." Quem não se deparou com esse tipo de comportamento, ao menos uma vez na vida? É o tal negócio: se nada presta, vamos então desmanchar o que está feito, vamos perder o que foi investido, vamos voltar à estaca zero e assim seguiremos praticando o engodo do eterno recomeço. Meu Deus, será mesmo que nada do que o meu antecessor fez pode ser aproveitado? Ok, sejamos justos: esse tipo de comportamento não se restringe aos políticos, até porque acaba se reproduzindo em outras esferas. Como uma mania, uma doença, um atavismo do qual nós, brasileiros, ainda não conseguimos nos libertar.

Não faz muito tempo, eu me coloquei a seguinte pergunta numa dessas vigílias das altas horas: Pedro, o que você acha que funciona de verdade no Brasil? Isso mesmo, Pedro, você, que anda reclamando tanto, o que neste país tem eficiência comprovada e merece a sua admiração? Pensei... Imunização infantil. Funciona. É impressionante ver como o país montou ao longo do tempo um sistema de vacinação razoavelmente eficiente, você anda por este Brasil e lá na barranca do rio vai encontrar um agente de saúde vacinando uma criança. Isso eu acho que funciona, então tomara que bons modelos de atenção básica à saúde possam ser preservados e melhorados. E o que mais, Pedro? Pensei mais, e mais, afinal, tenho que identificar algo admirável. Apuração de votos! Isso mesmo. Posso não gostar do nosso sistema eleitoral como um todo, mas as urnas eletrônicas foram um achado. Fácil votar, fácil apurar, fácil anunciar o resultado. Pelo que ouço dizer, parece que a quantidade de deficiências nesse sistema é irrisória. Mais alguma coisa, Pedro? Difícil... preciso pensar... acho que o sono está batendo. O que poderia ser? Arrecadação tributária! Funciona. Hoje existe uma máquina poderosa de cobrança de impostos, que nos pega em todos os níveis, municipal, estadual, federal. Parece mesmo um sistema implacável. Tudo isso para concluir que, se existem coisas que funcionam bem no nosso país, então, não há que mudar, mas sempre melhorar.

Agora, voltando ao início da nossa conversa. Sabe por que esses pensamentos têm me visitado na madrugada? Porque eles refletem não só preocupações, mas, sobretudo, práticas que estamos adotando aqui na empresa neste exato momento. Hoje, mais do que nunca, combatemos todas as formas de desperdício – seja de recursos, energias, ideias, soluções. Nada pode ser perdido. Estamos ajustando metas. Realocando pessoas. Eliminando gorduras. Vitaminando nossa produtividade. Eis o grande desafio que temos pela frente ao comemorar os 70 anos da Livraria Cultura em 2017, uma empresa que nasceu modesta, na sala de estar da casa dos meus pais, e rendeu tantos frutos ao longo da sua história. Vamos festejar esse aniversário em tempos de incerteza, o que se há de fazer, porém, dispostos a crescer e com mais vontade de acertar. Queremos aproveitar a data para celebrar ainda mais o nosso principal produto, o livro impresso, acreditando mais do que nunca na essencialidade do que ele propicia – a leitura. E vamos continuar celebrando o nosso lema: "Ler para ser".

Você há de me achar um cara antiquado fazendo a apologia do livro impresso, esse tijolo de papel tão antiecológico, quando as pessoas parecem mais e mais atraídas pelos conteúdos digitais, que não devastam florestas. Se esse for o seu julgamento, prometo pensar a respeito. Porém, minha preocupação começa antes: pense bem, será mesmo que as pessoas estão lendo? Ou será que estão zapeando o dia inteiro no celular, no computador, no tablet, em compartilhamentos sem fim? Se passam a vida zapeando, não estariam perdendo de vista aquele lento prazer solitário de saborear uma boa ficção, uma biografia fascinante, uma obra científica revolucionária ou até mesmo um livro de autoajuda? Tenho certeza de que só vamos perder se desaprendermos o saudável, o insubstituível hábito da leitura. Isso me leva a pensar outra coisa: não atravessamos uma crise dos livros, mas uma crise de leitores.

Quem me conhece sabe que eu repito a mesma ladainha há anos: o bom leitor se forma em casa. Não é na escola. É aquela criança que cresce vendo pai e mãe tomarem livros nas mãos, ainda que a rotina esteja corrida, os afazeres sejam muitos, o cansaço chegue mais cedo. Esse momento mágico, em que a correria da vida é substituída pelo silêncio e pela introspecção da leitura, serve como experiência formadora para os pequenos. É o exemplo que eles recebem. E o estímulo para imitar algo que os ajudará a dar sentido à vida.

Pois bem, neste ponto retomo o meu plano para ajudar o Brasil a sair da crise, crescer e assumir-se como uma grande nação. Então, naquela reunião ministerial hipotética, eu também proporia a realização de uma campanha institucional, no âmbito dos ministérios da Educação e da Cultura, certamente. Seria uma campanha muito simples, portanto, muito barata, feita a partir de uma única pergunta dirigida aos adultos: "Como é que você quer que seu filho seja um leitor se você não lê?". Apenas isso.

Com Joaquim
(à esquerda),
meu irmão, mais
novo que eu

2

Nasce a
Biblioteca
Circulante,
célula mater
da Livraria
Cultura

Não me tornei livreiro por acaso. Tenho absoluta certeza disso. Quando Cassiano Machado, diretor da Editora Planeta, me animou a fazer um livro que reunisse memórias e histórias de um livreiro, estava claro para mim que a nossa empresa ocuparia um lugar central na trama. Sem a Livraria Cultura eu teria a oferecer ao leitor uma vida bem menos atraente, pois não teria se aberto para mim a possibilidade de conhecer tantas pessoas interessantes ou fazer tantos amigos. A verdade é que a livraria fez o livreiro.

A Cultura nasceu de forma modesta, como já disse, mas dinâmica o suficiente para ir moldando os sonhos e as conquistas de uma família de judeus alemães, imigrantes que vieram para este país literalmente com a roupa do corpo, quando a Europa mergulhava numa longa noite de trevas. Rebobinando a fita em sete décadas, posso me lembrar da vida austera que a nossa pequena família levava em São Paulo, poucos anos depois que meus pais chegaram ao Brasil, em 1939, fugindo do nazismo. Kurt Herz, meu pai, tentava nos sustentar trabalhando como representante comercial da indústria de confecção. Ou seja, ele vendia roupas para lojas em São Paulo, roupas que reunia de diferentes fabricantes. Minha mãe, Eva, àquela altura com dois filhos pequenos, ficava em casa cuidando de tudo.

O problema é que o dinheiro sempre terminava antes de o mês acabar. Eva tentou então encontrar uma forma de ganhar alguma coisa, sem sair de casa. Não tinha a menor chance de pagar alguém para cuidar dos filhos, eu, com 7 anos, meu irmão, com 4. O que lhe pareceu mais eficaz foi comprar um lote de dez livros em alemão, todos best-sellers, para alugar a seus compatriotas aqui em São Paulo. Assim nasceu a Biblioteca Circulante, em 1947, célula mater da Livraria Cultura. Nasceu num sobrado no bairro dos Jardins, no número 1.153 da alameda Lorena, sem placa na porta.

As dificuldades econômicas do pós-guerra limitavam tudo, inclusive o acesso aos livros. Só que os imigrantes alemães reunidos na cidade, notadamente os judeus expulsos de seus países pela perseguição de Adolf Hitler, tinham um bom nível cultural. Queriam e *precisavam* ler mais. Inclusive eram pessoas que carregavam consigo o hábito da leitura, cultivado na terra natal, certamente em longos invernos. Eva entendeu bem essa necessidade. E achou que conseguiria suprir a demanda com o aluguel de livros, ao mesmo tempo o jeito que encontrou de trabalhar sem sair de casa.

Com capital irrisório, minha mãe comprou o primeiro lote de dez livros de um importador estabelecido em São Paulo. Muitos outros volumes viriam. Para cada livro criou uma pequena ficha de cartolina na qual anotaria o nome do inquilino, a data de saída do exemplar e a de devolução, em geral, uma semana depois. Se o inquilino permanecesse com o volume um ou dois dias a mais, não tinha a menor importância. Ela empiricamente percebeu que as pessoas liam depois do jantar – até porque ainda não existia televisão... –, portanto, uma semana era um bom tempo para finalizar um romance. Assim os livros passaram a circular na comunidade. Muitas vezes um cliente chegava em casa perguntando: "Eva, por acaso eu já li o livro....?". E ela imediatamente respondia, consultando as fichas: "Um momento... esse você já leu. Escolha outro". Esse outro poderia ser *O diário de Anne Frank*, encontrado ao fim da guerra e publicado ainda em 1947, sempre com alta procura; livros protagonizados por Hercule Poirot, da romancista inglesa Agatha Christie; *O Estado de Israel,* de Theodor Herzl; *O egípcio,* de Mika Waltari; *Doutor Jivago,* de Boris Pasternak; *A leste do éden,* de John Steinbeck; *Exodus,* de Leon Uris... ou ainda *Sidarta, O lobo da estepe* e *O jogo das contas de vidro,* romances do escritor alemão Hermann Hesse, que, em 1946, justamente pouco antes do início da Biblioteca Circulante, foi agraciado com o Nobel de Literatura. Assim os anos foram se passando e, sempre confiante no seu pequeno negócio, Eva conseguiu importar um número maior e mais variado de livros.

Agora, um comentário de livreiro, feito à margem: iniciar um negócio com o aluguel de dez volumes apenas, para uma clientela que lia e relia o que havia disponível, mostra como aqueles livros importados eram bem-feitos. Tinham papel de qualidade, costuras firmes, encadernação feita para durar. E precisavam durar mesmo, afinal, já era um tremendo esforço importá-los. O exemplar passava uma semana em uma determinada casa, voltava para a nossa, já havia quem o quisesse, e lá ia ele para outra casa e assim por diante. Mais tarde, quando minha mãe passou a alugar também livros nacionais, começou a ter problemas com exemplares mal encadernados, páginas coladas, capas moles. No terceiro, quarto empréstimo, ela precisava providenciar uma nova encadernação, o que encareceria o aluguel. Isso porque os livros teriam que estar sempre em ordem para a locação.

Pois bem, voltando a 1947, ano em que tudo começou: o pequeno negócio de Eva Herz foi se firmando entre os leitores do alemão, primeiramente, e não demorou a se expandir. Logo ela passaria a encomendar mais livros, ampliando seu catálogo e sua clientela. O curioso é que sempre reinvestia o pequeno lucro da Biblioteca Circulante, não tirava um centavo para si. Isso foi exemplar para mim: meus pais nunca se endividaram para crescer. Nunca tivemos casa de praia, chácara, fazenda, e mesmo o primeiro carro demorou a estacionar em nossa garagem. "O lucro deve voltar para o negócio", eles diziam. Essa foi uma lição preciosa que aprendi com Eva e Kurt Herz, para ser usada por toda a minha vida.

3

Construindo
a nova
vida em
São Paulo

A Biblioteca Circulante nasceu, portanto, num contexto de sobrevivência familiar em terras distantes, no pós-guerra. Vale a pena recuar no tempo para que se possa entender melhor esse contexto. Quando meus pais chegaram a São Paulo, em 1939, foram morar num pequeno sobrado na rua Barão de Capanema, situada num bairro que hoje chamamos de Jardim Paulista. Sobre a saída da Alemanha e a vinda deles ao Brasil, contarei mais tarde. É uma história que merece ser relembrada com mais detalhe. Pois bem, voltando à Barão de Capanema, número 400, será importante dizer que Eva e Kurt moraram ali com outro casal, Hildegard, irmã de Eva, minha tia Hilde, e o marido dela, Hugo Salomon.

Hilde e Hugo também conseguiram fugir da Alemanha. Ao se fixarem em São Paulo, Hilde fez concurso público e foi aprovada como cantora lírica do Theatro Municipal, o mais importante da cidade. Tinha uma bela voz, a minha tia. Já tio Hugo trabalhava em casa, no silêncio, como alfaiate. A essa altura, Eva e Kurt tinham um filho apenas, eu, enquanto Hilde e Hugo tinham meu primo Walter, nascido na Alemanha. Primeira moradia dos Herz em São Paulo, aquele sobrado precisava acomodar as duas famílias em um cotidiano singelo. São do sobrado nossas primeiras fotografias no Brasil. No sobrado minha mãe engravidou. E para lá fui eu, saindo de uma maternidade paulistana, a Pro Matre. Lá também aconteceu uma das cenas mais bizarras da minha vida. Como esquecer do dia em que, com 3 anos, enfiei a cabeça pela grade de proteção da varandinha que ficava no segundo andar da casa? Passar a cabeça pelo tijolo vazado não foi problema. Difícil foi tentar sair, com as orelhas impedindo a passagem! Lembro perfeitamente do berreiro que armei ao me ver entalado, um escândalo na vizinhança.

Fui crescendo nesse ambiente familiar restrito, de poucas pessoas. Mesmo com o passar dos anos, vivíamos um cotidiano ainda muito austero, onde só se falava o alemão e se reservava a maior parte do pequeno dinheiro da família para pagar a escola particular dos filhos – primeiro para mim, depois também para meu irmão, três anos mais novo. Nunca fomos para a escola pública por uma questão de princípios de meus pais. Eles tinham a convicção de que as vagas da escola pública no Brasil deveriam ser reservadas a famílias que de fato não pudessem pagar pela educação dos filhos. E eles conseguiriam pagar, não importasse o esforço que teriam que fazer para que isso acontecesse. Então, por que tirar o banco escolar de uma criança pobre? Repasso essas lembranças me vendo com 5, 6 anos, mochila nas costas, caminhando sozinho até o Externato Jardim América, da diretora dona Idalina, que ficava perto de casa, na rua Peixoto Gomide. Alguém pode me explicar por que guardamos por toda a vida o nome das nossas primeiras professoras?

Como São Paulo não oferecia programação cultural à altura das possibilidades financeiras dos Herz e Salomon, fomos criando nosso próprio jeito de ter algum acesso ao mundo das artes ou algum entretenimento. Por exemplo, como tia Hilde precisava ensaiar no Coro do Municipal todos os dias, era comum eu ir com ela ao teatro, levando meus poucos carrinhos de brinquedo no bolso. Enquanto tia Hilde cantava, eu me entretinha com eles. Costumo dizer que subi inúmeras vezes ao palco do Municipal! Com o tempo, tia Hilde e minha mãe ficaram amigas do porteiro do teatro, um certo Mário, sujeito simpático que sempre tinha cadeiras reservadas no *foyer* para as duas irmãs – e para mim, o pirralho. Acho que as duas davam uma caixinha para o Mário; de qualquer forma, o custo da gentileza do porteiro saía bem mais em conta do que o preço da entrada na bilheteria.

Nossa casa tinha uma vitrola, alguns discos clássicos e o rádio pelo qual meu pai acompanhava notícias, especialmente as do futebol. Kurt tornou-se um corintiano fanático. Tinha carteira de associado do clube e, depois de viver a sua paixão torcedora por muitos anos, virou até sócio remido. Não por acaso nosso programa no fim de semana era ir a pé até o Estádio do Pacaembu, para assistir a uma partida. As torcidas ficavam misturadas naquela época, não havia essa divisão beligerante que se vê hoje. Eu me lembro de meu pai, com aquele sotaque alemão forte, apostando o valor da renda do estádio com torcedor do time adversário – renda que seria informada pelos alto-falantes, antes do término da partida.

Aos poucos, os judeus alemães vindos da Europa foram se identificando mutuamente na cidade que os acolheu. Aqui encontraram um clima de tolerância religiosa, certa permeabilidade social e, a partir de 1938, na esteira da violência desencadeada pelo Terceiro Reich na Áustria e na Alemanha, a famigerada Noite dos Cristais, puderam acompanhar a chegada de levas e levas de imigrantes a São Paulo. Só em 1939, desembarcaram mais de 1.500 judeus na cidade. Aqui teceram novos laços. Na feira livre da alameda Lorena, para onde meus pais se mudariam em seguida, havia o "alemão" que vendia frios, berlinense como minha mãe. Eles se saudavam com alegria a cada semana. Na rua Tucumã, perto do Clube Pinheiros, antigo Germânia, também abriria uma casa alemã para chá. Era nosso programa de domingo comer *apfelstrudel* nesse lugar, uma delícia.

Dentre as estratégias de como acessar o mundo da cultura, mundo que não tínhamos dinheiro suficiente para frequentar, posso incluir o jeito que encontrei de me fartar de cinema, sem gastar um centavo. Eu era um menino. A certa altura, minha mãe conseguiu finalmente pagar os serviços de uma jovem empregada doméstica. Chamava-se Balcimira. E, para a minha sorte, a moça começou a namorar o porteiro do Cine Paulista, na rua Augusta. Com Balcimira me levando pela mão, eu chegava ao cinema, era acomodado numa poltrona e, enquanto a jovem trocava beijos e abraços do lado de fora, pude ver os melhores faroestes de todos os tempos. Grande Balcimira!

Dos 8 aos 18 anos, fui escoteiro – outra maneira de integração social que me ajudou no período de formação e, sem dúvida, por toda a minha vida. Aprendi muito nos cursos, acampamentos e atividades sociais da Associação de Escoteiros Avanhandava, que foi organizada em 1938 pela Congregação Israelita Paulista, a CIP. Que emoção vestir meu uniforme de "lobinho" – apelido dado ao escoteiro mirim – e ir até a Casa da Juventude para receber e compartilhar os ensinamentos de um casal inteiramente devotado ao escotismo, Anita e William Spyer. Que bons tempos... A Casa da Juventude, também conhecida como CAJU, ficava na rua Augusta, número 1.953. Durante anos eu a frequentei aos sábados. Não perdia um encontro. De tempos em tempos, a garotada da Avanhandava tomava o antigo trem da Cantareira para visitar a serra, fazer pequenos treinamentos, participar de jogos, ouvir uma palestra, coisas assim. Porém, o ponto alto do programa era mesmo viajar no trenzinho ainda movido a vapor. Íamos debruçados nas janelas do vagão, na maior farra, vendo a paisagem correr diante dos olhos e o vento lamber o nosso rosto. Uma sensação de liberdade como poucas vezes experimentei na vida... Quem não ficava muito feliz com o programa na serra era minha mãe, ao me ver chegar em casa com a camisa do uniforme de escoteiro repleta de pequenos furos, feitos pelas fagulhas do trem.

Cumpri missões relevantes na Associação Avanhandava – ao menos para mim, claro. Hoje, revendo esses momentos, confesso que foram missões um tanto quanto inglórias. Vejamos: em 1954, em meio aos festejos do IV Centenário da Fundação de São Paulo, o escoteiro Pedro Herz, de 14 anos, foi destacado para ficar estacionado dentro de um bote, no meio do lago do parque Ibirapuera, de plantão e em missão de monitoramento. Como eu sabia nadar, a missão confiada a mim pelos nossos instrutores seria vigiar os visitantes do parque recém-criado, para que não entrassem no lago. Mas, se entrassem, eu teria que fazer um salvamento, sabe-se lá como. Subi no bote e lá fiquei debaixo de sol forte, horas a fio. Acontece que justamente no meu plantão a trupe dos Aqualoucos iria fazer um show no lago. Para quem não sabe, os Aqualoucos alcançaram bastante sucesso praticando uma espécie de circo acrobático nas águas, com direito a muitas palhaçadas. Só que eles eram malucos mesmo! No momento da performance, decidiram improvisar para cima de um jovem escoteiro encarapitado num pequeno bote no meio do lago, e partiram na minha direção! Saí remando como um aqualouco improvisado, pois os caras estavam a fim de me pegar.

Outra missão confiada ao escoteiro Pedro Herz: com a inauguração do prédio da Bienal, no mesmo Ibirapuera, inaugurou-se também a segunda escada rolante do país. A primeira ficava naquela que viria a se chamar Galeria Prestes Maia, no centro de São Paulo. Pois bem, a missão reservada a mim foi auxiliar os visitantes a entrar na escada rolante no prédio. Isso mesmo, a escada rolante era algo tão novo, tão moderno, que a maioria das pessoas hesitava em entrar. Em geral, elas colocavam primeiro as mãos nos corrimões e só depois os pés nos degraus, coreografia perfeita para um tombo daqueles. Com algumas horas de prática, desenvolvi meu próprio método para atender o público: quando topava com um hesitante, fazia uma alavanca de bunda e praticamente içava a pessoa para que ela montasse de vez na escada.

Assim fomos entrando na vida de São Paulo e São Paulo entrando na vida da nossa família. Éramos parte de uma comunidade que enfrentou inúmeras dificuldades nos seus primeiros tempos de enraizamento, mas com uma disposição verdadeira de não se fechar em gueto. Aqui chegamos. Aqui fomos recebidos. Aqui viveríamos.

O sentimento de ter sido acolhido num lugar que não lhe pertence originalmente não é uma experiência banal. Posso dizer que ele se renova a cada dia quando tomo um ônibus urbano em São Paulo, sem pagar – o que é direito do idoso – e venho para a sede da nossa empresa, na avenida Paulista. Hoje aqui é o meu lugar. Aliás, gosto de vir trabalhar de ônibus. Venho rápido. Curto a cidade. Além disso, não me preocupo com engarrafamento nem recebo multa. Perfeito. Meu carro, com nove anos de uso, deve se aposentar definitivamente, antes de mim.

Com meus filhos
Sergio e Fábio, e
meus pais Eva e Kurt

4

E nem era
piada de
papagaio...

O negócio caseiro de Eva Herz foi se firmando. O movimento crescente da Biblioteca Circulante permitiu que ela incluísse muitos autores brasileiros em suas compras – Machado de Assis, Jorge Amado, Erico Verissimo, Rachel de Queiroz, entre outros – o que ampliou e diversificou o seu público. O negócio atingiu um ponto tal que os livros tomaram conta da nossa casa. Eu me lembro deles acumulados em pilhas embaixo da minha cama, atrás do sofá, em caixas pelo corredor. Nos diferentes endereços em que moraríamos em São Paulo, sempre no mesmo bairro, a biblioteca só fez se expandir, tanto que um dia ela nos expulsou de casa. Literalmente. Creio que os livros venceram a batalha por espaço quando finalmente meus pais concordaram em alugar um local que funcionasse apenas como nossa moradia, na mesma rua Augusta. Que alívio. Os livros teriam o espaço deles. A verdade é que durante longo tempo a Biblioteca Circulante ocupou um lugar central em nossa vida, e só deixou de ocupar quando a Livraria Cultura, que também nasceu em nossa casa, se mudou para o Conjunto Nacional. Isso aconteceu em 1969. Ou seja, durante 22 anos ininterruptos mantivemos o aluguel de livros, até a inauguração da nossa primeira loja aberta ao público.

E como nasceu a livraria? Também de forma muito natural. Minha mãe sempre procurou ouvir as demandas da sua clientela. "Eva, por que você não vende livros didáticos?" Foi o que ela passou a fazer quando morávamos em outro sobrado alugado na rua Augusta, número 2.557, sabendo que seus clientes precisavam de livros para os filhos em idade escolar. "Eva, por que você não vende material didático também, cadernos, lápis, borrachas, canetas?" Dito e feito. "Eva, por que você não vende revistas?" Logo começaram a chegar as *Spiegel*, *Stern*, *Quick*, *Burda*. Assim nasceu a Livraria Cultura, propriamente dita. Por vários anos ela esteve instalada nas duas salas da frente do sobrado e nós, inquilinos do imóvel, ficávamos com os fundos – quartos, banheiro, cozinha, quintal. Ou seja, houve um período em que a biblioteca e a livraria conviveram no mesmo local.

Era isso mesmo: os livros se acomodavam nas salas da frente e a família nos fundos do imóvel. Como é possível imaginar, minha mãe se desdobrava para tomar conta do negócio e da casa. Hora do almoço, meu pai a substituía na loja para que ela pudesse preparar a nossa refeição. Eis que, um belo dia, uma cliente chegou perguntando pelo livro *A nossa vida sexual*, do médico alemão Fritz Kahn. Meu pai, da sala mesmo, gritou com seu vozeirão para minha mãe, às voltas com as panelas na cozinha: "Querida, ainda temos nossa vida sexual?". Imagine a situação da cliente, comprando livro num espaço já meio íntimo e ouvindo aquele tipo de pergunta. O casal Herz se entendia bem nessa vida sem luxos, dedicada ao trabalho. Quando eles brigavam, meu pai desconectava o telefone da tomada – 80-76-81, me lembro até hoje do número –, enfiava o aparelho com fio e tudo na sacola de roupas e saía para as suas vendas. Ele simplesmente *desligava* minha mãe dos clientes. Não poderia arquitetar melhor vingança. Depois, os dois faziam as pazes e tudo voltava ao normal. Rusgas de casal.

Fazíamos entregas em domicílio. Os clientes encomendavam livros e revistas pelo telefone, minha mãe anotava os pedidos, depois preparava pacotinhos que eram levados por um garoto, o nosso *office boy*. O jovem, cujo nome não me recordo, trabalhava muito bem. Até o dia em que pediu demissão em caráter irrevogável. Com muito jeito, conseguimos a confissão do porquê de uma decisão tão repentina. Aconteceu que, numa das entregas, o rapaz tocou a campainha no portão de uma casa, quando ouviu um solerte "entra". Ele então abriu o portão, enveredou por um corredor bem comprido, quando foi recepcionado por três *boxers* com cara de poucos amigos. Os cachorros fizeram como que uma comissão de frente e correram para cima dele, em sinal de festa. Mas festa, que nada. Para ele eram monstros devoradores de *office boys*. Foi assim que o nosso bom funcionário decidiu abandonar o emprego, mesmo sabendo, pelos próprios donos daquela casa, que quem dissera "entra" foi, na verdade, um papagaio. Tarde demais.

Outra funcionária que fez história conosco, nos primórdios da Cultura, foi Nair Araújo.

Nascida em Minas Gerais, era uma mulher negra bonita, portadora da doença de Chagas e muito batalhadora. Chegou à nossa casa para ajudar minha mãe no dia a dia corrido, mas foi criando gosto pelos livros até virar uma leitora bem exigente. Minha mãe, claro, estimulou a pupila apresentando-lhe autores importantes, conversando, trocando ideias. Creio que Nair lia muito em seu quarto à noite, quando terminava o serviço. Assim foi adquirindo cultura, tinha opiniões bem formadas e cultivava seus autores favoritos. Eva sentia prazer ao ver Nair discutindo Albert Camus como gente grande... era como se tivesse alcançado uma realização pessoal. Então, nada mais justo do que envolvê-la mais e mais com a livraria.

Com o tempo, Nair formou um grupo de reflexão com intelectuais negros. Naqueles anos de liberdades controladas, em plena ditadura militar, havia a moda de formar grupos de reflexão, conscientização, análise de conjuntura etc. Com certa regularidade ela reunia artistas e escritores em nossa casa. Participava desse grupo até um médico negro, algo raro ainda hoje no Brasil, incrível. Claro, a nós só cabia apoiar mais esse passo de afirmação pessoal e intelectual da nossa funcionária. Tudo certo. Porém, aos poucos fomos notando que seus amigos demonstravam um comportamento um tanto quanto reativo em relação a nós, brancos. Era real o que eu observava? Cheguei a me sentir um intruso quando, certa noite, vindo da rua, eu os encontrei na sala, discutindo os seus temas. Daí eles se calaram diante de mim, esperando que eu fosse para o meu quarto. E a reunião prosseguiu. A situação se repetiria em outras oportunidades e, a cada vez, eu ficava incomodado; afinal, tudo o que eu queria era me integrar àquele grupo de reflexão, para conversar também!

Nossa relação com Nair tinha tudo para prosseguir na maior tranquilidade se não descobríssemos que ela, ao não gostar do vendedor de uma determinada editora, simplesmente não comprava suas obras. Começamos a receber reclamações, tanto de fornecedores como de clientes que não encontravam o livro procurado, e isso acabou gerando um certo mal-estar em nossa casa. Passado algum tempo, Nair anunciou que nos deixaria. Lamentamos a decisão, ficamos até abalados, mas logo veríamos que ela seria capaz de abrir sua pequena livraria, no bairro da Aclimação. Precisava dar aquele passo. Outra alegria da pupila para minha mãe... Nair faleceu em 1984. Procurando-a nas minhas lembranças, descubro que sua livraria existe ainda hoje e é dirigida por sua filha, Martha – a quem gostaria de dizer: sua mãe foi uma mulher de grande valor.

Cartão da Livraria
Cultura nos seus
primórdios, quando
ainda existia a
Biblioteca Circulante

LIVRARIA CULTURA
ULTIMAS NOVIDADES EM LIVROS
NACIONAIS E EXTRANGEIROS
LITERATURA E ARTE

BIBLIOTECA CIRCULANTE
LEIHBÜCHEREI
LENDING LIBRARY
BIBLIOTHÈQUE FRANCAISE

RUA AUGUSTA, 2551

TEL. 80-7681
SÃO PAULO

5
O nascimento do livreiro: Pedro, vá ver o mundo

Quando completei 18 anos, meus pais perceberam em mim o desejo de viajar, de me ver sozinho cruzando as fronteiras de uma São Paulo provinciana e, sob alguns aspectos, muito protegida para um jovem como eu. Minha mãe, especialmente ela, dizia: "Vá ver o mundo, meu filho." Disse isso para mim, assim como disse para pessoas amigas. Um belo dia eu fui. Meados de 1958.

Antes de fazer as malas, eu havia trabalhado por dois anos como vendedor na Livraria Melhoramentos, na rua Augusta, quase em frente ao sobrado onde morávamos. A verdade é que trabalho desde os 13, 14 anos, tinha registro "de menor", como se costumava dizer. Não foi ruim ter começado tão cedo, muito ao contrário. Jamais me esquecerei de que, ao receber meu primeiro salário, que era algo irrisório, pude enfim contribuir com as despesas da casa: comprei pão para colocar à mesa, no jantar em família. Que pão saboroso, aquele!

Como os recursos continuavam curtos em casa, minha viagem iniciática – "vá ver o mundo, meu filho" – teria de ser obrigatoriamente econômica, de preferência autossustentável e, na medida do possível, prazerosa. Muitos fatores a equilibrar. O projeto arquitetado em nossa família foi o seguinte: eu seguiria para a cidade de Basileia, na

Suíça, para encontrar meu tio Erich e sua mulher, Ruth – ele, irmão de meu pai, também representante comercial, e ela, médica, nascida na Turquia. Tia Ruth não exercia a medicina naquele momento, era dona de casa. Como eles não tinham filhos, aceitaram de bom grado tomar conta do sobrinho.

Então, tudo arrumado: meu tio me instalaria numa pensão perto de seu apartamento, pois o casal morava num quarto & sala pequeno demais para um morador adicional, e eu iria trabalhar na Buchhandlung Wepf, uma das mais tradicionais livrarias suíças. Paralelamente, eu seria matriculado na escola para formação de livreiros, que funcionava havia muito tempo na mesma cidade. Assim, a livraria seria o lado prático de um curso de formação que não existia, nem jamais existiu, aqui no Brasil. Esse era o plano. Somando o pouco de dinheiro que juntei na Livraria Melhoramentos e uma ajuda financeira de meus pais, tive recursos para embarcar no cargueiro argentino *Salta*, em 1958, rumo à Europa. Grande momento.

Não lembro quanto tempo se passou até que o navio atracasse no porto de Gênova, na Itália, tendo feito uma escala curta em Palma de Maiorca. A verdade é que foram semanas de muita quietude e forte sensação de abandono – antigamente, os navios não tinham os estabilizadores de hoje, então, quando eu olhava pela janelinha da minha cabine, só via céu ou mar. Aquele cargueiro navegava escalando montanhas oceânicas, numa travessia sem fim. Que tédio. Passei manhãs, tardes, noites lendo ou jogando xadrez. Era o que restava fazer, pois não tinha com quem conversar, muito menos me divertir. As poucas moças interessantes do cargueiro, não sei por quê, iam sempre ouvir música clássica na cabine do padre, depois do jantar. Muito estranho, aquilo... o que aquele programa noturno tinha de tão especial? Cheguei a mandar um telegrama desesperado para os meus pais: "Viagem chata. Muito enjoo. Muita solidão. Saudade de casa". Finalmente em Gênova, eu me instalei num hotelzinho de cais do porto e saí buscando a estação de trem para comprar o bilhete com destino a Basileia. Parti na manhã seguinte. Quase um dia inteiro de viagem.

Erich me esperava na estação – só conhecia o meu tio de fotografias. Logo notei que era parecido com meu pai. Aliás, bem parecido! Nós nos abraçamos e fomos direto para a sua casa – *Leimenstrasse*, 74. Minha tia nos esperava com aquele acolhimento típico de famílias que foram apartadas. O afeto se fez presente e logo eu seria tomado como o filho que eles não puderam ter. A pensão onde passei a morar, muito simples, ficava a poucos metros da casa de Ruth e Erich; assim, frequentemente quando eu voltava das minhas atividades, encontrava no meu quarto uma frutinha ou um bombom deixado por minha tia. São pequenos grandes gestos que até hoje me emocionam.

Basileia era um lugar pequeno para um jovem que deixava a São Paulo do final dos anos 1950. Silenciosa e calma, aquela cidade suíça já era servida por uma boa rede de transporte público, com ônibus e bondes em todas as direções, o que me ajudaria muito. Havia também uma ótima feira de rua, onde eu costumava comprar minhas frutas – cerejas, maçãs, peras deliciosas. Só não me atrevia a comprar aqueles cogumelos incríveis, pois havia um fiscal na feira para autorizar ou não o consumo das diferentes espécies. A presença, ou talvez a notoriedade, do fiscal me intrigava: não é que cogumelos venenosos poderiam matar as pessoas?

A cidade dormia depois das dez horas da noite: não havia bípede andante nas ruas, o que me frustrava. Mas aprendi a me dar por satisfeito quando, aos sábados, podia compartilhar uma panela de fondue com os colegas de pensão – quem perdesse o pãozinho no creme de queijo pagava um "pichet" de vinho para a mesa toda – ou então fazíamos a ronda das cervejarias. Confesso que esperei meses pelo Carnaval suíço, que existe de verdade, com desfile e muitas brincadeiras de rua, mas tudo carregado de sátira política. Nada a ver com o nosso "mamãe, eu quero...".

Eisengasse, 5. Esse era o endereço da tradicional loja de livros do sr. Wepf. Ocupava um prédio elegante, de três andares, que depois passaria por uma reforma modernizadora. Posso dizer que ali aprendi muito mais do que o tempo em que estive estudando para ser livreiro. Porque lidava com uma clientela culta, refinada, num ambiente onde pude descobrir a verdadeira arte de vender livros, conhecer pessoas e fazer amigos. Para isso bastou que eu observasse como trabalhava o sr. Veter, um respeitado professor de filosofia que era funcionário da loja. Veter conversava tão bem com os clientes, orientava-os nas escolhas, trocavam histórias... acho que nasceu ali esse meu jeito de falar com os clientes nas lojas.

O sr. Wepf também era um tipo agradável, porém quem mais me impressionou naquela livraria foi o rapaz que cuidava do estoque. Não recordo o seu nome, mas guardei muito bem a história que me contou. Ele havia passado um tempo servindo no Exército suíço quando, num dado momento, na fronteira com a Alemanha, viu desembarcar de um comboio militar ninguém mais, ninguém menos que Adolf Hitler. O Führer em carne e osso. Ficaram cara a cara. Meu amigo portava uma arma, pensou em sacá-la, tinha condição para isso, mas sentiu medo. Medo de disparar a arma, medo de errar o tiro, medo do que viria a se passar depois. Jamais se perdoou por isso. O estoquista da Wepf talvez pudesse ter mudado o curso da história...

Era parte do meu contrato de estagiário na livraria frequentar o curso da Buchhändler Schule, a escola para formação de livreiros em que fui matriculado. O sr. Wepf pagava o meu curso do próprio bolso, assim como me dispensava do trabalho para estudar. Eu tinha aulas vespertinas duas vezes por semana, provas de avaliação e um único professor para dar conta de todo o programa. Nessa escola aprendi a montar um arquivo, a estruturar a contabilidade de todos os setores de uma livraria, a controlar o estoque, a conferir faturas, a organizar uma seção de livros pelo nome dos autores, em ordem alfabética – o que para nós não faz sentido, pois organizamos por título, em ordem alfabética. Lá eu vi a importância, e a beleza, da uniformidade gráfica. Por exemplo, os títulos posicionados nas lombadas dos livros sempre da mesma forma, atendendo a critérios de impressão. Enfim, eu poderia dizer que, na época, o curso me pareceu um tanto chato, mas hoje sei que foi muito valioso. Ah, ia me esquecendo: havia poucos alunos na classe, todos suíços, então a minha sorte foi falar alemão desde o berço. Ou teria dançado.

Um encontro marcante naquele ano de 1958: conheci Otto Frank, pai de Anne, a garotinha judia que expressou num célebre diário o absurdo da vida na perspectiva do extermínio. Otto tornou-se um amigo próximo dos meus tios Erich e Ruth. Família aniquilada no Holocausto, ele sobreviveu ao cerco nazista, acabou se casando de novo na Holanda quando a guerra terminou, coincidentemente com uma sobrevivente de Auschwitz, Elfriede Geiringer. E vieram bater na Suíça em 1953, fixando-se na Basileia, cidade onde Otto ainda tinha parentes. A essa altura *O diário de Anne Frank*, escrito entre 1942 e 1944, mas publicado em 1947, já era um tremendo sucesso editorial e começara a ser adaptado para teatro. Eu me lembro de Otto vindo jantar na casa dos meus tios. Ele era uma presença sempre muito bem-vinda, um homem simpático, educado, falava sobre tudo. Mas jamais o vi repassando o fim de sua família em campos de concentração, nem particularmente mencionar a perda de sua filha Annelies Marie, a querida Anne, cuja morte foi confirmada em 1945.

Tocado por ter a chance de conviver com uma personalidade como Otto Frank, pude ainda presenciar outro momento histórico relacionado à saga da sua família. O *Diário de Anne Frank*, a peça, que estreou na Broadway em 1955, foi encenada na Basileia em 1958 – e pude ver a montagem. Claro, comprei meu ingresso e fui assistir à peça tão aguardada com meus amigos. Até hoje fico arrepiado ao lembrar o que vi naquela noite: ao final da apresentação, não houve palmas. Um silêncio denso tombou sobre a plateia, tal o impacto do texto. O público saiu calado, sem se manifestar. Era pura emoção. Basileia ainda hoje sedia o Fundo Anne Frank, criado por Otto. E eu, sempre que vou a

Amsterdã, visito o antigo esconderijo (hoje um museu) onde a família Frank se escondeu dos nazistas e de onde saiu para encontrar a morte.

Depois de um ano, Erich e Ruth me viram fazer as malas para continuar viagem. Aqui, abro um parêntese: meus tios foram muito atenciosos e afetivos comigo. Ficamos tão unidos que, anos mais tarde, quando eu já estava de volta ao Brasil, eles finalmente se animaram a visitar a nossa família em São Paulo. Fomos com eles ao Rio, ficamos hospedados no belo Hotel Glória, visitamos o Corcovado, o Pão de Açúcar... por um breve momento, os Herz se reuniam para viver momentos felizes e afastar as sombras do passado. Eu bem que estava com saudade dos tios, eles com saudade de mim. Fecho o parêntese para voltar à Basileia, em 1959. Pois bem, com estágio e curso finalizados, eu tinha a possibilidade de viajar um pouco mais pela Europa, antes de voltar ao Brasil. E mais viajaria se pudesse arrumar trabalho para me sustentar. Foram tempos de boas andanças. Da Basileia fui para Paris. Me instalei num "hoteleco" na capital francesa, daí saí buscando trabalho até conseguir um bico de auxiliar de balcão, num botequim em Saint-Germain-des-Prés. Eu servia o café que o garçom levava para as mesas, na bandeja. Também lavava muita louça. Com um mês de batente braçal, juntei o dinheiro necessário para seguir para a Inglaterra, onde tentaria ficar um tempo maior.

Chegando a Londres, logo me matriculei numa escola para aperfeiçoar o inglês. Os estudos justificariam minha permanência na Europa, mas eu teria que, de novo, arrumar trabalho. Tratei de intensificar meus contatos. No consulado brasileiro, pude me encontrar com o secretário particular de Assis Chateaubriand, que era então embaixador brasileiro no Reino Unido. O secretário do Chatô andava amargurado, achava que os filhos estavam perdendo a língua nativa, por isso me contratou para ler em português para as crianças. Assim ganhei as minhas primeiras libras esterlinas.

Foi ele quem também me apresentou um gerente do serviço radiofônico da BBC, um belo dia. Na verdade, o secretário do Chatô percebeu a minha urgência em arrumar emprego. E lá fui eu atrás do tal radialista que, à certa altura da conversa, me disse o seguinte: "Sabe que você tem uma voz boa? Vem comigo". Fomos até o departamento que cuidava do serviço em português da emissora britânica e, de repente, eu me vi sentado num estúdio de rádio com um jarro d'água, quatro copos, um microfone e uma folha de papel na minha frente. "Pode começar a ler", disse-me o homem. Aquilo era um teste de locução para a principal emissora de rádio britânica! Meus joelhos começaram a bater de nervosismo, a voz falhava, as mãos transpiravam, uma tremedeira absurda tomou conta de mim. Terminei o texto não sei como. Saí dali correndo, direto para uma farmácia. Pedi um *tranquilizer* e me deram.

Três dias depois, chegava um recado na pensão. Eu deveria comparecer à BBC. Só de saber, voltou a tremedeira. Comecei a tomar o tranquilizante antes de chegar lá. "Seu teste foi bom, o senhor está aprovado. Pode começar a trabalhar." Pelo suplício de viver como apresentador de rádio, eu ganharia 1 guinea, ou seja, 1 libra mais 1 xelim, no antigo sistema monetário dos britânicos – mas, vejam bem, 1 guinea por minuto de locução! Como eu pagava 8 libras por semana na pensão, então, com alguns minutos de sofrimento eu juntaria dinheiro suficiente para minhas despesas, minha diversão e até para fazer alguma poupança.

Tudo começava a melhorar para mim não fosse um maldito redator lisboeta da BBC. O homem insistia no português castiço e sapecava no texto termos impronunciáveis para o aprendiz de locutor. Eu me vi enrolando a língua no ar, para ler coisas como "relógio de algibeira". Experimente dizer "algibeira" com todas as letras... é quase impossível! Daí eu me perguntava o que aquele homem tinha contra os relógios de bolso, por que, raios, o dele tinha que ser de "algibeira". O supervisor me acalmou dizendo que eu poderia passar a caneta quando topasse com expressões impronunciáveis, eliminando-as. Assim, entre altos e baixos fonéticos, fui levando minha carreira de locutor por mais seis meses.

Também participei do processo de seleção para um cargo no escritório londrino da Petrobras. Precisavam de um brasileiro que falasse fluentemente inglês e alemão, e era o meu caso. A proposta de trabalho se ajustava à minha situação em Londres como uma luva. Eu já estava pronto para embolsar um salário dos sonhos quando Jânio Quadros assumiu a Presidência no Brasil, em 1961, passando a tesoura, ou melhor, a vassoura, nas verbas internacionais da nossa petroleira, hoje com tantas dificuldades. Dei adeus à promessa de uma vida de rei nos domínios de Sua Majestade, tratei de fazer as malas e voltar rapidinho ao Brasil. Já havia passado quase dois anos fora de casa.

No postal da Suíça,
as saudades de casa

6 Cuidado, chimpanzé a bordo

Dois anos sem ver meus pais... Falávamos muito raramente durante a minha permanência na Europa. Embora a saudade já estivesse bem grande, havia um acerto entre nós de que eu teria de me virar sozinho se quisesse continuar a viagem. Definitivamente, Eva e Kurt Herz não tinham como bancar o filho morando no exterior. Isso havia ficado bem claro para mim, um rapazola de 18, 19 anos, e me trouxe um modelo pessoal que adotei pelo resto da vida. *Faça, não espere que façam por você. Se errar, não tem problema, conserte. Se não errar, vá adiante. Mas, faça.* Eis outra preciosa lição que aprendi com os velhos.

Sem poder contar com o empregão na Petrobras, comecei a organizar minha volta para casa. Encontrei em Londres Peter Barth, um amigo de infância de São Paulo – fomos escoteiros na Associação Avanhandava, da qual já falei. Peter estava a caminho de Israel. Então, propus ao meu amigo: quando ele terminasse a viagem dele, poderíamos nos reencontrar em Londres e tentar voltar juntos ao Brasil. Seria bem mais divertido. E, de fato, foi. De Londres, Peter e eu fomos até a França de trem, como dois jovens mochileiros, para embarcar na terceira classe do navio *Provence*, em Marselha, rumo ao Brasil.

Naquela época, até a terceira classe das embarcações tinha o seu charme. No *Provence*, as roupas de cama eram trocadas diariamente, idem para as tolhas de banho. A comida chegava em bandejas bem-arrumadas, claro, nada comparável ao luxo que havia nas classes superiores, mas eu diria que dava para encarar muito bem. Fora isso, a terceira classe nos possibilitou grandes aventuras. Um dos garçons que servia no nosso restaurante, o Antoine, acabaria se aproximando de nós para se tornar *un très bon ami*. Era um francês engraçado, chegava para mim ou para o Peter dizendo "hoje você vai fazer aniversário". Assim dava a deixa de que traria sorvete, doces e até mesmo um champanhe para a nossa mesa no salão de refeições. A torto e a direito tínhamos uma súbita festinha para nascer de novo, com o Antoine adentrando o restaurante com um bolo cheio de velinhas.

Só que havia um interesse particular nesse atendimento VIP. Antoine logo nos pediria um favor, para ser realizado quando o navio atracasse em Dacar, no norte da África, em escala de um dia. Nós teríamos que descer do *Provence*, encontrar um determinado sujeito numa divisão alfandegária qualquer, nos apresentar e receber uma caixa-jaula. Sim, senhor. Dentro da caixa, estaria um chimpanzé muito bem-criado, com documento da inspeção sanitária e passaporte. O macaco teria que embarcar no navio e seguir para o seu destino final, o porto de Buenos Aires. Nós o levaríamos a bordo e o entregaríamos dentro do navio, para alguém que o Antoine nos apresentaria. Tudo legal, *aucun problème*, repetia o garçom.

Fizemos tudo direitinho, conforme o combinado, na base da gratidão por tantas festas de aniversário no navio. Não tardou a ficar claro que o nosso amigo era um contrabandista de macacos, com receptadores no navio e na Argentina, e que a história do passaporte do animal era tão falsa quanto uma nota de trinta dólares. Até porque todos os macacos naquela divisão da alfândega tinham a mesma foto de identificação e o mesmo documento! Sem nenhuma malícia, fomos entrando naquele clima da contravenção portuária. Na nossa escala em Dacar, mal colocamos os pés em terra firme e já fomos abordados por uma multidão de mascates que se aproximavam com a mesma interpelação insistente: *"Tu veux achetter? Tu veux accheter?"*. Eles vendiam de tudo, até cobra viva.

Num dado momento, um mascate nos ofereceu uma linda estatueta de ébano. O homem, com seu exibicionismo evidente, raspava diante de nós a base da peça com um pequeno canivete, para demonstrar que era ébano legítimo. Comprei a estatueta com os nossos poucos cruzeiros, dizendo que eram "dólares brasileiros" e que valiam tanto quanto os americanos. Foi uma negociação duríssima, até o sujeito aceitar o pagamento. Voltamos a bordo e confesso que preferi me trancar na cabine para só sair dela com o navio em alto-mar – já estava assustado com a "operação chimpanzé", daí bateu aquele medo de que o mascate enganado, um homem negro bastante corpulento, tivesse subido a bordo para me pegar. Ok, enganamos o vendedor com o nosso dinheiro contadíssimo, mas ele havia nos enganado primeiro: a estatueta era tudo, menos ébano. O mascate sempre raspava o único pedacinho em ébano da peça, o resto era madeira bem vagabunda. Assim íamos levando a nossa vida no *Provence*.

A última negociata com o garçom francês foi um tremendo fracasso: como a louça do navio era linda – de porcelana branca, com delicados frisos dourados – comecei a colecionar as peças de um serviço completo, por meio do amigo Antoine. Uma hora ele chegava à nossa cabine com a sopeira, em outra com a tampa, depois trazia um prato, em seguida uma xícara, um bule... e assim formei o serviço com dezenas de peças, meticulosamente escondido nos armários da cabine naquelas semanas a bordo. Mas, quem disse que eu conseguiria levar a louça comigo quando o navio atracou, despejando milhares de pessoas em terra firme? O garçom malandro só se esqueceu de avisar que, na terceira classe, não havia carregadores, portanto, seria um desembarque com zero de *glamour* no porto de Santos. E eu só contava com os meus dois braços para levar toda a minha bagagem de dois anos fora de casa. Tive que deixar a louça para trás. Até hoje sinto a frustração de uma perda forçada.

7
Visitas ao porto, memórias da chegada

De fato, hoje eu sei por que meus pais levavam a mim e a meu irmão Joaquim, crianças ainda, para visitar o porto de Santos. Saíamos cedo de casa, pegávamos um ônibus na capital e seguíamos rumo ao litoral. O programa incluía o tão desejado banho de mar, mas, sobretudo, uma visita ao cais. Lá chegando, meus pais se dirigiam à Capitania dos Portos, para solicitar a permissão de subir a bordo de algum navio ancorado. Assim, com esse documento em papel timbrado em mãos, Eva e Kurt nos introduziam ao navio. Passeávamos onde era possível passear, divertíamo-nos muito, meu irmão e eu, enquanto nossos pais olhavam tudo, atentamente, sem nada comentar. Por certo aquela situação os transportava para o ano de 1938, na Alemanha. Vamos, então, retroceder no tempo para encontrá-los em sua terra natal.

Naquela época, Kurt, nascido na pequena cidade de Krefeld, perto de Colônia, já havia pedido a mão de Eva, uma berlinense bonita, cativante, filha de um banqueiro. Recém-casados, ambos moravam em Berlim, porém, com a ofensiva nazista e a dispersão da família, não tiveram outra opção a não ser fugir. Não podiam hesitar naquele momento: começara o ataque a casas e lojas de comerciantes judeus, bem como a sinagogas; não havia margem de segurança para continuar na cidade. Estavam às vésperas da famigerada Noite dos

Cristais, como ficou conhecida a madrugada de 9 de novembro de 1938, marcada por atos de violência que levariam à morte uma centena de judeus e à prisão milhares deles. Então, era partir ou ficar para morrer. A senha disso foi dada no último momento para minha mãe, por ninguém menos que Alfred Hirschberg (1901-1971), advogado, escritor e ativista judeu, na época editor da Central Vereins-Zeitung, uma publicação importante dos judeus na Alemanha. Encontraram-se na Congregação Israelita de Berlim, quando Hirschberg apenas lhe disse: "Vá para casa e volte em seguida com o passaporte". Eva perguntou a ele: "E a minha mãe?". Hirschberg foi curto: "Traga o dela. Volte com os passaportes".

Minha mãe teve tempo de entrar em casa para fazer uma trouxa, buscar a mãe e a irmã Hilde, recolher os passaportes e reencontrar Hirschberg. Elas deixaram tudo e todos para trás. Em questão de horas, saíam da Alemanha em direção à Itália, onde tomaram um navio em Trieste. Eva não tinha a menor ideia se voltaria a ver Kurt. Seu pai estava desaparecido, idem para o irmão, que logo morreria nas mãos dos carrascos nazistas. Eva apenas sabia que o destino da sua viagem era o Brasil.

Muitos dias se passaram na travessia até o navio atracar no porto do Recife, em Pernambuco. Foi quando um mundo inesperado se descortinou. Calor, praias lindas, litoral recortado de palmeiras e uma luminosidade absolutamente ímpar aos olhos daquelas três mulheres cansadas, fracas, assustadas. Tudo era novo como a língua que ouviam, sem entender nada. Puderam descer em terra durante a escala técnica. Andando pelo cais, as três viram crianças vendendo tomates gigantes. Pararam. Provaram. Jamais haviam saboreado tomates tão doces – na verdade, eram caquis.

Continuaram caminhando. E foram percebendo aqui e ali, no centro da capital pernambucana, a presença de um símbolo familiar, a estrela de Davi em cartazes, portas de bares, restaurantes. O que seria aquilo? Minha avó Francisca, mãe de Eva e Hilde, quase surtou de medo e ao mesmo tempo euforia. Havia deixado sua casa em Berlim com a suástica tatuada na porta, para, dias depois, chegar a uma terra exótica, repleta de crianças, praias e tomates doces, com o símbolo máximo do judaísmo por toda parte. Como assim? Aqueles judeus desembarcados em condições tão precárias, num porto tão distante de suas origens, estariam sendo aguardados? Seriam recepcionados fraternalmente na Terra Nova? A primeira decepção foi entender que a estrela era apenas o símbolo de uma fábrica fundada por judeus, de onde saíam a cerveja e o guaraná Antarctica. E a segunda decepção, bem pior, foi serem informadas de que deveriam voltar a bordo imediatamente, pois o navio italiano seguiria para Buenos Aires. O presidente Getúlio Vargas, flertando politicamente com o ideário nazifascista, havia determinado que os navios transportando passageiros judeus não os desembarcassem em portos brasileiros. Portanto, a emoção da chegada a um porto seguro logo se dissipou.

As três mulheres subiram novamente a bordo, o navio zarpou rumo ao Sul e creio que nem passou por Santos. Deve ter ido direto para Buenos Aires. Lá minha mãe terminaria encontrando meu pai, que conseguira vir noutro navio, numa viagem também cheia de percalços. Que boa surpresa! Não conheço os detalhes desse momento, infelizmente. Sei que minha mãe logo conseguiu um documento de identidade em Buenos Aires e emprego numa tecelagem. E que meu pai a levava à fábrica todos os dias, por volta das cinco da manhã. Vida duríssima para os dois, a tecelã e seu marido ainda sem papéis. Não haviam desistido de vir ao Brasil.

Acontece que o cônsul brasileiro, com quem mantinham contato a fim de tentar voltar ao destino original, começou a paquerar a bela Eva Herz. Ela foi lhe dando esperanças, ardilosamente. E o diplomata foi se empenhando em conseguir a documentação exigida para a viagem de volta ao Brasil. No dia em que marcaram o primeiro encontro, Eva e o cônsul, o casal Herz, Eva e Kurt, já embarcava num navio rumo ao porto de Santos. Foi uma sedução sob medida, calculada e com bons resultados. Imagino que minha mãe deixou alguém suspirando por ela em Buenos Aires.

Aqui Eva e Kurt tiveram que fazer um documento de identidade para estrangeiros chamado Modelo 19. Lá vai minha mãe, de novo, para uma divisão burocrática, horas na fila até conseguir falar com um funcionário atrás de um balcão muito alto. O homem então lhe pergunta: "Estado civil?". E ela responde, com seus limitados recursos no português: "Cansada". Daí o funcionário lhe ofereceu uma cadeira. Só que o balcão se tornou ainda mais alto e inacessível para minha mãe – talvez aqui se construa uma bela metáfora das dificuldades enfrentadas por toda uma comunidade de judeus oriundos da Europa àquele tempo. Como sempre surgia um "balcão" alto demais, esses imigrantes procuravam se apoiar mutuamente, ao mesmo tempo que eram apoiados por algumas entidades judaicas, presentes na medida do possível.

Nessa teia de solidariedade, meus pais tiveram a felicidade de reencontrar em São Paulo Alfred Hirschberg, que viria a ser um dos diretores da Congregação Israelita Paulista, a CIP. Cabem aqui algumas palavras sobre esse homem tão especial não só na vida da minha família. Se foi uma presença decisiva para livrar da morte tantos judeus na Alemanha, aqui em São Paulo Hirschberg também exerceria um papel importante. Ele, que chegou a ocupar cargos de destaque no American Jewish Committee e no World Council of Synagogues, dinamizou entre nós o Centro Brasileiro de Estudos Judaicos e deu um rumo verdadeiramente humanista para a nossa congregação. Sempre procurou manter elevado o moral de centenas de judeus que aqui chegaram – fundamentalmente para que compreendessem seu destino e tivessem esperança no futuro. Fez tudo isso com incansável capacidade de trabalho. Como sabiamente escreveu Fritz Pinkus, ex-rabino-mor da CIP, ao referir-se à obra social de Alfred Hirschberg, "nossa congregação em São Paulo é uma das respostas judaicas ao desafio da destruição e da inumanidade".

Imagino a emoção de Eva e Kurt ao reencontrarem na cidade sul-americana que os acolheu o homem que os tirou da rota da morte, em Berlim. Não posso precisar o momento exato em que esse encontro ocorreu, nem mesmo as suas circunstâncias. Da mesma forma, não sei quando meu tio Hugo reencontrou minha tia Hilde. Me perdoem, mas aprendi a aceitar que meus relatos familiares sejam feitos também de lacunas. O fato é que a nossa pequena família, como tantas outras famílias judias, conseguiu reunir alguns dos seus em São Paulo, preferindo não desperdiçar os anos que se seguiram ao reencontro lamentando o passado ou repisando fatos traumáticos. Como tantos outros judeus alemães emigrados para o Brasil, meus pais procuraram virar a página. E olhar para a frente.

8
Paulista, a avenida do futuro

Revendo todos esses fatos é que finalmente compreendo por que meus pais nos levavam para ver navios, de tempos em tempos. Não eram à toa aquelas idas a Santos, quando descíamos a Serra do Mar de ônibus. Como eles decidiram virar a página para iniciar uma nova vida aqui, era bem provável que não quisessem ficar remoendo lembranças amargas para seus filhos. Entre eles deviam conversar sobre as condições em que emigraram para o Brasil. Assim, ver navios talvez fosse uma maneira discreta de lidar com o passado.

Eles também demonstravam um certo bloqueio em relação à Alemanha, isso eu pude notar várias vezes. Não queriam saber do seu país de origem, embora só falassem a língua materna em casa. E mesmo as coisas alemãs de alta qualidade, por exemplo, uma bela câmera fotográfica Leica, não despertavam neles grandes paixões. Nos anos 1960, meus pais foram convidados oficialmente pelo governo alemão, junto com outros judeus que imigraram na mesma época que eles, para voltar em visita à terra natal. Eva e Kurt hesitaram muito em aceitar o convite, embora fosse uma proposta reconciliadora. Acabaram viajando para a Alemanha, passearam e se divertiram, mas a sensação de estranhamento em relação à pátria que os expulsou permanecia.

Volto aqui ao meu retorno da Europa, aos 20 anos, quando os vejo acenando no mesmo porto de Santos, dois anos depois do nosso último abraço. Foi uma emoção reencontrá-los. Minha mãe conferia, com um misto de carinho e orgulho, o filho mais velho que regressava à casa, depois de experimentar o mundo sozinho, como ela sempre desejou. A Biblioteca Circulante continuava alugando livros, contudo ela já se mantinha à frente de uma pequena livraria funcionando na nossa casa, um sobrado na rua Augusta. Eva aos poucos ia consolidando a sua clientela. Durante o tempo que passei na Basileia, tinha como missão ficar atento à publicação de best-sellers, para indicá-los à minha mãe. Às vezes eu acertava na mosca. Por exemplo, como quando comprei dois exemplares de um romance histórico chamado *Doutor Jivago*, do escritor russo Boris Pasternak, e os despachei por correio para o Brasil. Os livros foram intensamente alugados, depois venderam muito por aqui também.

Pois bem, de volta a São Paulo, saí em busca de trabalho em seguida. Nada de moleza, Pedro. A primeira oportunidade apareceu num escritório de representação comercial para indústrias de componentes eletrônicos, a Arthur Abner Cia. Ltda. Foram três ou quatro anos lidando com resistências, válvulas, transistores etc. Depois surgiu uma oportunidade melhor, no departamento de vendas da Hoechst do Brasil, a fabricante da popularíssima Novalgina. Fiquei um ano lá. Mas o emprego mais divertido, ao menos para um jovem cheio de sonhos, como eu, só aconteceu em abril de 1967. Foi quando me convidaram a trabalhar no *Guia Quatro Rodas*, da editora Abril.

Nossa redação ficava na rua Álvaro de Carvalho, número 48, endereço muito bem situado no centro da cidade de São Paulo. Éramos um grupo de pesquisadores pé na estrada que poderia passar meses fora de casa, viajando pelo Brasil de carro, coletando informações que repassaríamos para o *Guia*. Nossa missão era descobrir lugares diferentes, exóticos, mas, sobretudo, testar os caminhos de um país com uma indústria automobilística nascente. A revista *Quatro Rodas* surgiu em 1960 com o propósito de percorrer esse país de tamanho continental, o que já ficou patente na reportagem de estreia: uma viagem de dois jovens jornalistas, Roberto Civita e Mino Carta, pelos 407 quilômetros da via Dutra, num DKW Vemag Belcar. Bons tempos aqueles, quando cruzar a Dutra de carro era uma grande aventura.

Meu chefe no *Guia* era Roger Karman, liberal o suficiente para que a redação, na sexta à tarde, virasse um cassino. Parávamos tudo. Das 14h às 18h, estendia-se o pano verde e a roleta começava a girar. Um dia o Roger foi convidado a jogar na casa de uns bacanas de São Paulo, onde certamente serviriam uísque de boa procedência, acompanhado de canapés. Um luxo para o nosso bolso sempre tão raso. Só que o Roger cometeu a imprudência de não nos avisar, muito menos nos convidar para ir junto. Que chato! No dia da jogatina, Roger pegou o fusca da redação e sumiu. Saímos pela cidade, caçando o Roger e o fusca. São Paulo ainda era uma metrópole calma, com uma geografia tão familiar que nos permitiu localizar o carro sem maiores dificuldades. Como tínhamos a cópia das chaves, nem foi preciso arrombar a porta do veículo. Abrimos o fusca, tiramos a direção e a guardamos no porta-malas. Depois trancamos tudo normalmente e fomos embora. Uma surpresa calculada para o nosso querido Roger, que, na alta madruga, depois de muitas rodadas de cartas e copos, tinha carro, mas não tinha volante para ir embora. No dia seguinte, de manhã, ouvimos o brado na redação: "Quem foi o filho da puta?".

Meses depois, em abril de 1968, ano em que a ditadura baixou o terrível AI-5, casei-me com Rosa Maria, que veio a ser a mãe de meus dois filhos, Sergio e Fábio. Eu estava com quase 28 anos, já era tempo de assentar na vida. Conheci Rosa Maria no Hospital das Clínicas, num momento em que meu pai se recuperava de uma cirurgia exploratória. Ela era da equipe de nutricionistas do HC e esteve sempre muito presente na recuperação dele. Assim começamos a namorar, logo nos casaríamos. Meu pai, vale dizer, teve um histórico hospitalar bem complicado: foi operado três vezes em sequência, sempre às voltas com uma febre alta, sem razão aparente para se manifestar. Num desses picos de temperatura, o médico Francisco Eichbaum, amigo da nossa família, resolveu interná-lo no Hospital Alemão Oswaldo Cruz para uma cirurgia de abdome; afinal, ele também reclamava de dores no ventre. Não acharam o tumor de rim, como se suspeitava, mas uma compressa esquecida em uma cirurgia de hérnia, feita anos antes. Isso mesmo, uma compressa de gaze do tamanho de um guardanapo dobrado, encontrada na barriga do meu pai! O problema foi eliminado com a retirada da compressa, porém, a febre persistia. Kurt foi internado de novo, dessa vez no HC, sem que nada se encontrasse. Um belo dia, recebemos em casa a visita de outro médico amigo da família, Rudolf Hutzler, que teve a boa sorte de ouvir do meu pai a seguinte queixa: "Doctor Rudi, eu tem dor na mão...". Fechado o diagnóstico: tratava-se de uma artrite reumatoide. E foi assim, entre idas e vindas hospitalares, que Rosa e eu nos casamos.

A essa altura, minha mãe começou a cogitar a expansão do negócio de livros. Seu novo projeto tinha endereço certo: avenida Paulista. Ou a "avenida do futuro", como ela sabiamente a previu. Sinais desse futuro já eram visíveis nas formas arrojadas do Conjunto Nacional, um empreendimento do empresário José Tijurs, com projeto de David Libeskind – à época um arquiteto de apenas 26 anos. Em 1952, Tijurs, judeu de origem argentina, comprou a mansão do empresário Horácio Sabino na esquina da avenida Paulista com a rua Augusta – Sabino, cujo nome também está associado à urbanização da cidade, pois foi sócio dos ingleses na Companhia City, a empresa urbanizadora do Jardim América e outros bairros paulistanos. Pois bem, Tijurs comprou a mansão para erguer no lugar um ícone da cidade: o Conjunto Nacional, que, na sua visão, deveria equiparar a nossa avenida Paulista à Quinta Avenida de Nova York. Guardadas as distâncias entre uma cidade e outra, Tijurs estava certo. Foi de um de seus filhos que minha mãe alugou a nossa primeira loja no Conjunto Nacional, em fins de 1968. Abrimos em abril de 1969, ousando dar um salto. Imaginem vocês: o Conjunto Nacional foi inaugurado com toda a pompa em 1961, pelo então presidente Juscelino Kubitschek. Nasceu para ser o marco de um Brasil que progredia a passos largos. Eu me lembro bem da grande loja Cassio Muniz no piso térreo, espalhando eletrodomésticos pelos corredores; aquilo me impressionava. Da mesma forma que me lembro do refinamento da confeitaria e do jardim de inverno Fasano, ocupando espaços no piso térreo e no terraço do prédio. Tudo muito chique. Sinais de um outro tempo.

E lá fomos nós, com os nossos livros, para dentro daquele gigante arquitetônico, uma espécie de cidade dentro da cidade. Como o aluguel da loja era alto, resolvi pedir demissão do emprego na Abril para trabalhar com minha mãe. "É o jeito, mãe, vou com você." Nair Araújo também veio conosco, tornou-se nosso braço direito. Tínhamos que dinamizar os próprios recursos. Será que daríamos conta daquele passo? Será que teríamos como pagar as contas no final do mês? Onde guardaríamos o dinheiro das vendas de fim de semana, se não havia expediente bancário para fazer depósitos? Soube que no Conjunto Nacional havia uma corretora de valores, da qual comprei um cofre de ferro pesadão, que ficou conosco por muitos anos. Ali passamos a guardar o dinheiro para movimentar o negócio, nosso capital de giro. Eu tinha também a preocupação de ter troco para os clientes, sempre achei que não poderíamos vacilar com isso. Ainda pequenos, meus filhos iam comigo ao Banco Central, na própria avenida, buscar moedas. Voltávamos juntos carregando sacolas pesadas pelas ruas.

Com a abertura da loja no Conjunto Nacional, minha mãe resolveu encerrar definitivamente as atividades da Biblioteca Circulante. Não sei quantos milhares de livros estavam disponíveis para aluguel naquele momento, nem ela quis contá-los. Encaminhamos todos para doação e nos concentramos na livraria, dinamizando contatos com as melhores editoras daquele tempo – Cultrix, Perspectiva, Zahar, Brasiliense, Melhoramentos, Companhia Editora Nacional. Creio que um dos diferenciais da nossa primeira loja foi a estante redonda de madeira, que chamávamos de "roda". Era um móvel circular feito para guardar e ao mesmo tempo expor os livros, posicionado bem no centro da loja. Minha mãe fez o desenho da peça e o entregou a um moveleiro conhecido na época, o Juliusburg, de quem o filho do Tijurs era genro. A "roda" esteve conosco por muito tempo e, claro, seria imitada depois por outras livrarias. Nossa primeira loja também ganhou um lindo móbile de uma amiga alemã de minha mãe, Doris Volhard, exibido no dia da inauguração. Infelizmente, não sei quem criou aquela peça, três lâminas metálicas que se movimentavam no ar, em círculos concêntricos. Enfim, com pouco, muito pouco, conseguimos montar uma loja bem simpática.

Marcas registradas da
primeira loja na avenida
Paulista: a "roda"
de livros e o móbile

9
Militantes, censores e arapongas

Nos primeiros tempos da Livraria Cultura, minha mãe continuou muito ativa. Só mais tarde é que a sua presença foi se espaçando, espaçando, até ela não vir mais. Nós nos entendíamos bem. Contudo, tínhamos divergências pontuais, todas contornáveis – ela era melhor conselheira para livros estrangeiros do que eu, sem dúvida, e eu, melhor conselheiro para livros nacionais, porta de entrada de uma nova clientela para nós. Portanto, tudo estava equilibrado. Eu diria mesmo que houve uma sucessão planejada na livraria, no sentido de que com o tempo eu assumisse o negócio.

O fato é que, naqueles primeiros anos, a visão, a sensibilidade e o dinamismo de Eva Herz foram fundamentais. Minha mãe semanalmente tomava um ônibus nas imediações da Paulista para ir atrás de distribuidoras e importadoras de livros no centro da cidade. Na rua Barão de Itapetininga, visitava a Livraria Triângulo, de onde comprou os primeiros dez livros em alemão da Biblioteca Circulante. Na rua Sete de Abril, costumava se encontrar com Desidério Landy, um húngaro que também importava livros em alemão. Landy até oferecia obras em húngaro, mas o grosso de sua importação voltava-se para a literatura alemã. Era um batalhador, assim como minha mãe. Já na rua Florêncio de Abreu, minha mãe procurava regularmente a Revisal, uma importadora de revistas dirigida por Carlos Alberto Huttenloscher – que depois viria a fundar a Editora Revisal, também voltada para a língua alemã, em funcionamento até 2013. Àquela altura tínhamos aumentado nossos livros em inglês, especialmente com a compra dos *pocket books* importados pela Siciliano. Muitos livros didáticos para o ensino de línguas vinham da Cambridge University Press e da Longmann, editoras inglesas que mais tarde fixariam representações no Brasil. Não tínhamos tanta oferta para livros em francês, inclusive porque a Livraria Francesa já existia em São Paulo, com um nicho de mercado definido. E, claro, decidimos ampliar a presença de autores nacionais. Nossa livraria inaugurou sem festa, num tempo em que censura rimava com cultura, tocada basicamente por um *staff* caseiro: além de minha mãe e meu pai, que dava alguma ajuda nos momentos de folga do trabalho dele, éramos Nair, o *office boy* e eu.

Um dia minha mãe voltou muito agitada de uma visita à importadora do Landy. Dissemos a ela que se acalmasse, sentasse um pouco, oferecemos um copo d´água. Eva trazia um estranho sorriso no rosto. "Meu filho, você pode me arrumar uma cadela no cio?" "Como assim, mãe?", perguntei, surpreso. "É que estou chegando da praça da República, do escritório do Landy, e lá tive que passar entre soldados armados, com seus cachorros enormes, adestrados para manter a ordem, certo? Pois eu quero passar no meio deles com a minha cadela no cio..." Que ousadia subversiva, a da minha mãe! Ela se divertia com a possibilidade de tirar do controle aqueles cães todos! "E quem vai me prender por isso?", ainda provocava. Usaria do instinto animal para atiçar os militares.

Sim, éramos vigiados naquele período. A livraria vendia títulos considerados perigosos pelo regime, e nós mesmos não conseguíamos entender bem os critérios da censura oficial. Às vezes implicavam com obras inofensivas. Em outros momentos, ao proibir a venda de um determinado livro, faziam crescer enormemente o interesse por ele. Eu mesmo brincava: nada como a censura para fazer um best-seller.

Aos poucos, fui percebendo o cerco dos agentes à nossa loja. Começamos a ter mais noites de autógrafos, algumas bastante concorridas, atraindo um público em geral crítico ao regime. Ou, em duas palavras, "gente perigosa". Então os agentes ficavam circulando por ali naquele tipo de atitude ostensivamente suspeita. Em 1978, por exemplo, o jornalista e escritor Ignácio de Loyola Brandão, meu querido Loyola, lançou conosco uma reportagem em forma de livro, chamada *Cuba de Fidel: viagem à ilha proibida*. Não preciso dizer que fomos visitados por um araponga do regime naquela noite. Sujeito meticuloso, ele comprou o livro, entrou na fila do autógrafo, ganhou dedicatória do autor e depois ficou circulando, observando as pessoas e anotando coisas. Décadas depois, e já com a democracia de volta, quando os arquivos do DOPS foram finalmente abertos para a consulta pública, Loyola conseguiu levantar curiosas informações sobre aquela noite. Soube que o araponga escrevera um relatório para os superiores dizendo que o livro-reportagem era desinteressante (errou feio), que o lançamento fora um fracasso (errou mais ainda), que não havia muitos simpatizantes de Fidel (como poderia afirmar isso?), mas que se prestasse atenção na livraria, esta, sim, um ponto de encontro de "esquerdistas e subversivos fingindo-se de leitores".

Por essa época, o Serviço de Censura a Diversões Públicas de São Paulo – departamento aparelhado pela ditadura – estava nas mãos de José Vieira Madeira, jornalista, censor de carreira e homem de perfil político moderado. Corria à boca pequena, ao menos no mundo cultural, que Madeira tinha certa tendência a liberar músicas, peças de teatro, livros, enfim, obras que normalmente não passariam pelo crivo de outros censores, colegas seus. Madeira até chegou a ter problemas com a comunidade de informação por ter adotado um comportamento, digamos, mais flexível.

Quando a coisa apertou para o nosso lado, tratei de me aproximar do Madeira, mostrando a ele que levávamos uma vida completamente dentro da lei e da ordem, portanto, não se justificavam aquelas campanas de agentes na nossa loja. Ele foi receptivo. Fomos conversando com franqueza, nasceu uma amizade entre nós, apesar das divergências políticas, e houve momentos em que até saímos para beber juntos. Madeira era um censor do regime, mas, acima de tudo, era um homem de bem. Nossa amizade permitiu informalidades até engraçadas. Nos momentos em que eu notasse a presença de agentes na loja, poderia telefonar para ele, lançando uma provocação: "E aí, Madeira? Tem gente sua conosco hoje?". Ao que ele respondia: "Espera um pouco, Pedro... tem sim, tem um casal que é gente nossa". Descrevia fisicamente os agentes. Batata, estavam lá, a serviço! Depois, ríamos muito com a situação.

Outra história curiosa no departamento censores & arapongas me remete ao lançamento do livro *Uma lufada que abalou São Paulo*, em 1982. Sonoro e sugestivo, o título já denunciava o alvo: Paulo Maluf, que assumira o governo de São Paulo em 1979. Fora escrito por um jovem vereador oposicionista, José Yunes, com prefácio do jornalista e escritor Lourenço Diaféria. Yunes já havia esmiuçado casos de corrupção em órgãos públicos como Fepasa, Sabesp e na extinta empresa aérea paulista, a Vasp. Ali, no livro recém-publicado, exibia os mandos e desmandos de Maluf no caso Paulipetro. Foi quando o governador criou essa empresa, com o propalado intuito de achar petróleo e gás abundantes em São Paulo. Foram perfurados dezenas de "pontos estratégicos", consumidos bilhões na prospecção e nada de significativo se encontrou.

No dia do lançamento de Yunes, a livraria estava repleta de convidados. Lá pelas tantas, chegou à loja um tipo sisudo, com um auxiliar que trazia uma metralhadora sob o capote. O homem aparentava uns 40 anos. "Sou delegado, tenho ordem para fechar a loja e terminar com isso aqui", foi logo me dizendo. Eu gelei. Olhei para todas as pessoas comprimidas naquele espaço, calculando se aquilo iria terminar bem ou mal. Me ocorreu sair pela tangente: "Muito prazer, delegado. Sou Pedro Herz, dono da livraria. O senhor por acaso teria um mandado judicial para nos mostrar? Veja bem, estou com a loja cheia, como é que eu posso mandar os clientes para casa? Com que justificativa digo que vou fechar?". O homem ficou confuso, certamente não esperava aquele tipo de reação um tanto quanto burocrática da minha parte. Perguntou se havia um telefone para ele usar. Disse que sim, "perfeitamente", e o levei até o aparelho. Lá o homem trocou palavras com alguém, supostamente um superior, em seguida me pediu que eu aguardasse um pouco, antes de comunicar aos presentes o fechamento da loja. Foi o que fiz.

Lá pelas nove da noite, chegou um mandado de execução da ordem. O próprio Maluf tinha entrado na Justiça e obtido uma liminar contra o lançamento do livro, cuja edição foi apreendida. Comuniquei isso aos presentes, dizendo que iria suspender o lançamento, pois seria obrigado a fechar a loja. As pessoas tiveram uma reação incrível: encurralaram o delegado, cantaram o Hino Nacional e só depois saíram. Nesse meio-tempo, consegui avisar a imprensa sobre o que estava acontecendo: Jovem Pan, *Jornal da Tarde, Estadão*... me lembro de ver a Silvia Poppovic, então repórter da TV Globo, chegando esbaforida com uma equipe de filmagem. O delegado apreendeu os livros, mas teve o cuidado de me deixar um recibo do que estava levando, algo inusitado naqueles tempos autoritários. Que noite... Saí da loja e fui direto para o restaurante Spazio Pirandello, na rua Augusta, para tomar um trago. Era um local acolhedor, com boa comida inclusive, criado pelos jornalistas Wladimir Soares e Antonio Maschio. Tornou-
-se ponto de convergência da intelectualidade paulistana de esquerda.

No dia seguinte, voltei ao Conjunto Nacional para reabrir as portas. Estava já trabalhando na minha sala quando minha assistente, Mara, me ligou da loja: "Pedro, está aqui embaixo o delegado de ontem". Não, de novo não! Deduzi que o sujeito viera me buscar. E que eu seria preso. Ou "sumido". "Mara, estou descendo. Vou atender o delegado. Enquanto isso, deixe o Carlos Oswaldo, nosso advogado, de plantão. Acho que teremos encrenca."

Desci. O mesmo homem da véspera estava lá, aparentemente sozinho. Dessa vez, ele se dirigiu a mim com um tom de voz mais ameno. "Vamos tomar um café, Pedro." Gelei outra vez. Agora o sujeito vai me prender, deve ter uma viatura parada aí fora, estou perdido... "Sim, vamos, delegado." Fomos à lanchonete que havia ao lado da livraria. Pedimos os cafés. Papo vai, papo vem, num clima horrível, o homem tomou a palavra: "Pedro, o que fiz ontem foi errado, eu sei. Mas gostaria que entendesse que tenho um chefe. Obedeço a ordens. Ainda assim, peço que me desculpe". Aquilo me deixou zonzo. Perplexo. E o homem continuou: "A verdade é que tenho outro assunto a tratar". Gelei de novo. Agora, vem... "Pedro, sou um poeta nas horas vagas. Tenho uma vida agitada, como você deve imaginar, mas escrevo versos quando posso. Já reuni alguma poesia... como tenho um livrinho pronto para publicar, gostaria de saber se você poderia me dar uma ajuda, indicar alguma editora para mim." Uau. O coração conseguiu descer da boca para o peito e, aos poucos, fui recobrando a calma. Sim, dei dicas para o delegado-poeta, que na véspera havia chegado à livraria acompanhado de um estafeta com uma metralhadora sob o capote! Depois eu o perdi de vista. Soube mais tarde que havia prestado concurso para a magistratura.

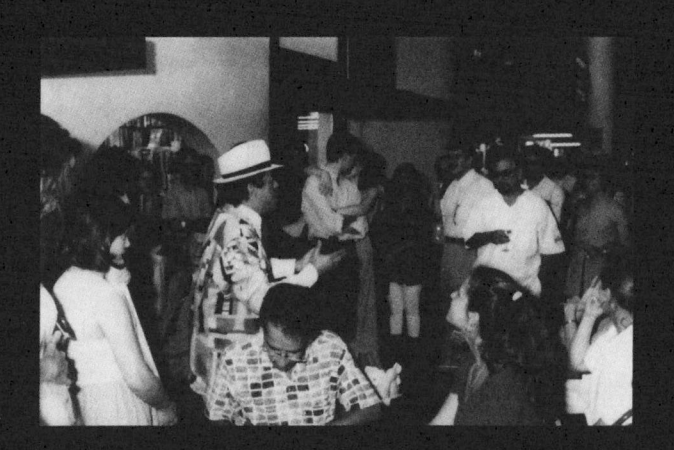

Nos anos 1970, os
eventos da livraria
passam a ocupar
os corredores do
Conjunto Nacional

10
Vinicius, a doce figura de um poeta maior

Outros lançamentos marcaram aquele período difícil, quando comumente estávamos às voltas com o imprevisível. Tivemos de fato agentes circulando pela loja, fichando as pessoas presentes para alimentar os arquivos da repressão? Sem dúvida. E viaturas da polícia estacionadas nas imediações do Conjunto Nacional? Com certeza. Era possível ver a loja sendo fechada e as edições, apreendidas? Provavelmente. Esse tipo de situação é sempre traumática... Creio que, lá atrás, corremos riscos, sim. Eu teria vários outros lançamentos para relembrar desse tempo, reforçando as minhas impressões, entretanto, recorro aos mais emblemáticos. Por exemplo, a noite de autógrafos do romance *Zero*, do querido e já mencionado Ignácio de Loyola Brandão.

Zero é um daqueles casos em que a censura do regime catapultou instantaneamente a obra para o sucesso, ainda que o livro do Loyola tivesse todos os ingredientes para atrair muitos leitores e as melhores críticas. Naquele início dos anos 1970, escrever sobre as paixões do homem comum numa cidade violenta, tendo como pano de fundo um regime de força, constituiu razão suficiente para que o romance enfrentasse problemas logo de saída, com a recusa de editoras nacionais em comprá-lo. *Zero* seria publicado pela primeira vez fora do Brasil em 1974, pela Feltrinelli, uma editora italiana muito respeitada. Ou seja, o romance saiu do ineditismo para a fama fora do país. Só no ano seguinte pudemos fazer o lançamento do *Zero* no Brasil, pela Editora Brasília. O público lotou a nossa loja. Claro, na noite de autógrafos, pairava no ar aquele sentimento de que, de uma hora para outra, tudo poderia dar errado. Finalmente, em julho de 1976, o livro do Loyola teve reconhecimento oficial ao receber o prêmio de melhor ficção da Fundação Cultural do Distrito Federal. Tudo resolvido? Que nada. Em novembro do mesmo ano, voltou a ser censurado pelo Ministério da Justiça, por motivos morais e políticos, para ser liberado em 1979, depois de um grande manifesto de intelectuais, já com os ventos da anistia soprando sobre nós.

Foram esses mesmos ventos que trouxeram de volta ao país o jornalista Fernando Gabeira, depois de um longo exílio na Europa, principalmente na Suécia. Regressando ao Brasil, Gabeira lançou *O que é isso, companheiro?*, relato de seu envolvimento com a luta armada e o sequestro do embaixador americano Charles Elbrick, a prisão, o banimento e, por fim, o longo exílio. Fizemos o lançamento do livro no final de 1979. Foi uma explosão de público. A loja esteve entupida de gente por horas e horas a fio, além da área externa tomada. Acreditem: lotamos o piso térreo do Conjunto Nacional, algo incrível. Claro que fomos visitados por muitos agentes naquela noite. E claro também que havia tensão no ar, pois embora a anistia tivesse sido concedida, permitindo que exilados políticos regressassem ao país, o clima de incerteza quanto ao nosso futuro democrático era mais do que evidente. O jogo ainda não estava ganho. Por isso, o lançamento do livro do Gabeira deveria ser computado entre as mais significativas manifestações da sociedade civil pelo fim do regime.

Não faz muito tempo conversei com Gabeira para saber se ele se lembrava de detalhes da noite do seu lançamento conosco. Eu mesmo não lembro de muita coisa, a não ser da agitação, centenas de pessoas apinhadas na livraria, algo apoteótico. Curiosamente,

Gabeira também não se lembra de tantos detalhes. Acho que estávamos anestesiados com aquela reação do público... O fato é que o verão da passagem de 1979 para 1980 já foi estudado até do ponto de vista sociológico, sendo conhecido como o "Verão da abertura". Ou o "Verão Odara", referência à música de 1978 de Caetano Veloso – "deixa eu cantar pro meu corpo ficar odara, minha cara, minha cuca ficar odara, pra ficar tudo joia rara..."*. Linda canção. Pois bem, a anistia ocorrera no compasso de uma transição conservadora, porém, havia um clima de alívio e busca do prazer diante do esgotamento do regime – daí tantos intelectuais brasileiros começarem a falar em liberdade política a partir da liberdade individual. Era algo novo. Provocador. Fugia à visão do coletivismo. Gabeira, recém-chegado do exílio e se autodenominando um "macho em decomposição" – expressão que iria inspirar uma de suas obras –, causou *frisson* naquele verão da abertura ao desfilar, e *caetanear*, com uma tanga de crochê verde e lilás nas praias cariocas. Uau, um guerrilheiro em tangas de crochê? Seria um deboche ou a expressão de uma liberdade individual, criativa e também política, que aflorava? Claro, o *frisson* continuou no lançamento do seu pequeno livro de memórias, *O que é isso, companheiro?*, que vendeu mais de 100 mil exemplares em um ano.

Outro autor que não era bem-visto pelos militares, embora fosse tão querido por todos nós, chamava-se Marcus Vinicius de Moraes. Diplomata, jornalista, compositor, dramaturgo, cantor e, sobretudo, poeta. O "poetinha" Vinicius de Moraes. Autografou conosco o livro *Falso mendigo*, publicado pela editora Fontana, em 1978. Prefiro reviver os deliciosos diálogos que tivemos, naquele momento:

— Vinicius, toda a imprensa quer falar com você! Não paro de receber pedidos... topa fazer uma coletiva aqui na livraria, na minha sala mesmo, um pouco antes do lançamento? Seria prático para você

---

* "Odara", Caetano Veloso; Philips, 1977.

e resolveríamos essa parada com a imprensa.

— Pode marcar, Pedrão, eu chego mais cedo e falo com os jornalistas.

Como Vinicius tinha sido internado semanas antes para um tratamento de desintoxicação, por causa da bebida, eu ainda tive vontade de brincar com ele:

— Então, fechado. Vou arrumar bastante guaraná pra você!

Ele riu.

— Pedrão, para com isso. Ando cansado de ter saúde!

No dia do lançamento, aguardávamos Vinicius às 17h, para a tal coletiva, e às 18h abriríamos a sessão de autógrafos para o público. Deu 17h e cadê o Vinicius? Nada de o poeta aparecer, ao contrário da imprensa, que apareceu em peso na livraria – jornais, televisões, rádios. O tempo foi passando, e nada do poeta. Eu já não sabia o que fazer, primeiro com os jornalistas e, em seguida, com o público, que também começou a aparecer para o lançamento. Eu pedia um pouco de paciência para as pessoas, afirmava que ele viria, estava só um pouco atrasado – naquele tempo, não havia celular, e-mail, nada, nada, de modo que Vinicius estava fora do meu radar. Mas ele apareceu – sete da noite. Falando mole. Visivelmente tinha tomado todas.

— O que aconteceu, Vinicius? Você se esqueceu dos jornalistas, da hora do lançamento?

— Não me esqueci, Pedrão. Eu só me atrasei um pouco. É que encontrei muito botequim pelo caminho... vamos lá atender os jornalistas.

Como é que se fica bravo com uma doce figura? Vinicius estava bambo demais para subir a pequena escada que levava à minha sala, na sobreloja. E os jornalistas já estavam reunidos lá em cima, esperando por ele havia horas. Não tive alternativa. Coloquei o poeta no pé da escada e, com as minhas mãos, o guiei degrau por degrau, empurrando-o pela bunda até o andar de cima. Foi uma operação guindaste de bunda. "Ô Pedrão, devagar com isso aí", ele brincava. Vinicius recebeu os jornalistas, respondeu a todos com a elegância de sempre e ainda fez um belo lançamento.

O ano de 1978 foi marcante por outros acontecimentos: foi quando formei uma editora com dois amigos – conto isso mais adiante –, me separei de Rosa Maria, saí de casa, voltei a morar com meus pais e ainda tive que enfrentar um incêndio. Isso mesmo. Era madrugada, 4 de setembro de 1978, quando o telefone tocou, acordando a nossa família. Meu pai atendeu. Do outro lado da linha, um amigo perguntou se ele já sabia que estava pegando fogo no Conjunto Nacional. Fui acordado em seguida, vesti a primeira roupa que encontrei e saí correndo. Consegui chegar lá às seis da manhã, antes dos bombeiros. Um deles veio em minha direção para perguntar onde estava o fogo. "Pra mim você vem perguntar? E eu lá sei?", respondi, quase incrédulo. Na verdade, o fogo começara no escritório da Ibrape, uma empresa do grupo Phillips, que funcionava dentro do conjunto, na direção da confluência da rua Padre João Manuel com a alameda Santos. Talvez pela circulação natural do ar, ou do vento, o fogo foi cruzando o prédio na diagonal, em direção à Augusta com a Paulista.

Os bombeiros logo entraram em ação com suas mangueiras e felizmente não houve vítimas. Mas a nossa loja virou uma piscina, com livros boiando por toda parte. Para combater as labaredas e as colunas de fumaça, jogou-se tanta água no prédio que ela se infiltrou pelos dutos, inundando completamente a livraria. Ou seja, o nosso problema não foi o fogo, mas o combate ao fogo. Perdemos tudo. O acervo de livros ficou encharcado, nada pôde ser reaproveitado. Felizmente tínhamos seguro, porém, ainda assim, fechamos ao público por um mês. Um revés na nossa vida.

Naquele dia, com fogo já controlado por volta das 3h da tarde, entrei numa padaria na Augusta e pedi uma dose de cachaça. Bebi sozinho. Eu me sentia molhado por dentro e por fora, lidando com toda a minha impotência diante do fato consumado – "nada que eu possa fazer vai nos livrar disso. Teremos que recomeçar", pensei. Numa dessas incríveis coincidências da vida, meus pais tinham comprado ingressos, para eles e para mim, de um concerto que aconteceria à noite: uma apresentação da Filarmônica de Israel, regida por Zubin Mehta. Exaustos e tristes, nós nos vestimos corretamente e fomos ouvir a orquestra. Quanta emoção naquela música! Na mesma noite, recebi o abraço solidário de José Mindlin, querido amigo, empresário, ex-secretário de Cultura de São Paulo e o maior bibliófilo que o Brasil já teve. Ele nos confortou com suas palavras generosas. Muitos anos mais tarde, Mindlin saberia por mim do incêndio que consumira o Teatro Cultura Artística, na rua Nestor Pestana, no centro. Conto isso mais adiante. Entre um sinistro e outro, foram trinta anos de intervalo. Situações trágicas, porém ao menos Mindlin e eu pudemos repetir na vida o mesmo abraço solidário. Isso é o que fica.

Vinicius:
que saudades...

11

Entre
linguicinhas
e bom
scotch,
nasce uma
editora

Em 1978 fundei uma editora com dois amigos. A empresa chamava-se HRM, letras iniciais dos nomes de família dos três sócios – além de mim, o alagoano Ricardo Ramos, escritor, publicitário, filho de Graciliano Ramos, nosso grande romancista, e o mineiro Gilberto Mansur, jornalista conhecido, radicado em São Paulo. Já havia uma gostosa relação de camaradagem e companheirismo entre nós. Por isso, num belo sábado daquele ano, resolvemos nos encontrar para comer uma feijoada no Massimo, na alameda Santos. Começamos o almoço por uma parada no bar, com direito a degustação de linguicinhas, torresmos e outros acepipes, regada a uísque. Massimo Ferrari, *chef* que fez história em São Paulo, além de ser uma criatura simpaticíssima e extremamente delicada, designou um garçom só para cuidar da nossa mesa no bar – para que houvesse reposição permanente daquelas pequenas delícias e de gelo, evidentemente. Consumimos uma garrafa de bom *scotch*. Na última dose e antes mesmo da feijoada, havíamos fundado a editora.

Não éramos do ramo da edição de livros. Vale lembrar que vender livro é algo completamente distinto de fazer livro. De minha parte, eu trazia uma visão um pouco mais empresarial, além do convívio cotidiano com as editoras, o que ajudaria na estruturação do negócio.

Também consegui fazer com que a HRM funcionasse numa pequena sala no Conjunto Nacional, bem perto da nossa livraria. Ricardo era, talvez, o mais literário de nós três e, além disso, tinha faro publicitário. Ele já ganhava muito bem em uma agência de propaganda, enquanto eu e Gilberto éramos uns duros. Fosse como fosse, Ricardo era o cara que avaliava a maior parte dos originais, com mais tempo para dedicar à nossa empresa. Gilberto era a cabeça jornalística do trio. Tinha uma visão atinada da atualidade e do que poderia interessar naqueles dias. Assim, procuramos misturar nossas características e fomos à luta.

Um dos nichos da editora seria justamente o de biografias de executivos. Surgiam ali as primeiras estrelas do mundo corporativo moderno, quando empresas de fato passaram a funcionar como multinacionais. Então, foi tiro certo. Eu mesmo tratei de negociar os direitos da autobiografia de Lee Iacocca, o homem que lançou o Mustang – o carrão da Ford era o sonho de consumo de todos nós! –, porém depois foi demitido da companhia, para espanto do mundo empresarial, vindo a ser o homem que reergueria a Chrysler. Pagamos caro pelos direitos de *Iacocca, uma autobiografia*, mas vendemos muito bem a história desse homem que foi um dos mais brilhantes CEOs americanos. Depois lançamos um segundo livro dele – *Falando francamente* –, que já não repetiu o mesmo sucesso do primeiro, embora tenha vendido bem. Iacocca está vivo no momento em que repasso essas lembranças, tem mais de 90 anos, mas ao que parece, suas famosas conferências sobre liderança global devem ter chegado ao fim.

Outra boa escolha editorial, nesse nicho, foi a biografia de Akio Morita, o best-seller chamado *Made in Japan*. Outro sucesso. O público brasileiro pôde travar contato com uma história de vida fascinante: filho de uma aristocrática família japonesa, dona de uma fábrica de saquê de longa tradição, Morita estudou física, depois lutou na Segunda Guerra, onde conheceu Masaru Ibuka, o engenheiro com quem fundou nada mais nada menos que a Sony. Se Iacocca ficou conhecido como o homem que lançou o Mustang, Morita passou para a história como o homem que lançou o *walkman*, o primeiro dispositivo estéreo portátil do mundo – muito embora seu invento tenha sido contestado por um brasileiro, Andreas Pavel, que provou ter sido o dono da ideia genial (Andreas moveu uma ação contra a Sony e, pelo que foi noticiado, embolsou uma boa indenização). Também na mesma linha, publicamos *Honda san*, história de vida do empresário e magnata japonês Soichiro Honda, um gênio da mecânica, sempre lembrado e reverenciado no mundo automobilístico.

Embora esses personagens constituíssem um ponto forte do nosso catálogo, ainda assim trabalhávamos sem uma linha editorial definida. Éramos pequenos como editora, mas livres o bastante para publicar aquilo que achávamos valer a pena. Pensávamos assim: por serem muito diferentes entre si, nossos livros precisam ter valor próprio. Eles devem atrair o interesse do leitor por si mesmos. Aliás, continuo achando que as editoras precisam publicar livros bons, e ponto. A tendência à segmentação fez com que elas passassem a criar muitos selos editoriais, só que as pessoas não compram livros pela "marca", muito menos pelo "selo", e sim por serem atraentes e convidativos à leitura.

Portanto, a nossa editora publicava histórias de executivos, sim, como tinha livros na área de saúde, caso de *A cura do colesterol em oito semanas*. Best-seller dos anos 1980, o livro foi escrito por um cientista americano chamado Robert Kowalski, que estudou jornalismo para escrever incansavelmente sobre moléstias relacionadas à vida moderna – diabetes, hipertensão, tabagismo, entre outras. Publicamos também livros de jornalistas brasileiros, como Lourenço Diaféria e Marçal Aquino; de jovens contistas mineiros, como Ivan Ângelo, Luiz Villela e Fausto Cunha; e de escritores que iriam gravar seus nomes no patamar mais elevado da nossa literatura. Cito três deles: Raduan Nassar, de quem tivemos a honra de publicar a primeira edição de *Um copo de cólera*; Hilda Hilst, com o seu *Tu não te moves de ti*, ela que chegou a ser saudada por críticos como a grande novidade do romance brasileiro desde Guimarães Rosa; e minha querida amiga Lygia Fagundes Telles, numa deliciosa coletânea de contos e textos literários, chamada *Filhos pródigos*. Publicaríamos ainda o texto de uma peça teatral de alguém já bem famoso na época, mas que viria a se firmar como escritor nas décadas seguintes. Falo da *Ópera do malandro*, de Chico Buarque, que na nossa edição ganhou uma linda partitura musical, feita à mão por John Neschling.

A HRM fez um certo barulho no meio editorial, mesmo sendo uma empresa pequenina, que acabou não se sustentando por causa dos sócios. Explico: Gilberto Mansur receberia uma boa oferta de trabalho na Telesp, com um salário que o jornalismo não cobria naquele momento. Aceitou. Ricardo Ramos, que já atuava em publicidade, tinha a sua obra literária para desenvolver – deixou-nos muitos contos, dois romances, três novelas, e mais teria deixado se não falecesse tão cedo, em 1992 – e tinha também a obra paterna para administrar. Quanto a mim, num dado momento me vi sozinho para tocar a editora, já com uma livraria consolidada, para a qual vinha alimentando projetos de expansão – inclusive porque meus filhos passariam a trabalhar comigo. Outros tempos se avizinhavam. A solução que encontrei foi pedir socorro a uma jornalista muito respeitada, minha amiga Mirian Paglia Costa, com quem passei a dividir o dia a dia da pequena empresa, rebatizada como Cultura Editora. Com o tempo, pedi também para sair e Miriam passou a tocar tudo sozinha.

Ter sido editor foi uma experiência importante, ainda que tenha terminado dessa forma, cada sócio para o seu lado. Primeiro, porque pude travar contato com todas as etapas do livro, da negociação inicial dos direitos autorais até o momento final da venda ao consumidor. E, segundo, porque ter sido editor um dia me fez ver que, na verdade, sou livreiro. Que o meu negócio sempre foi vender o livro, fazê-lo chegar às pessoas de alguma forma, tanto por meio de nossa rede física de lojas como pela loja virtual, a partir da qual fazemos com que a compra alcance localidades remotas neste país, cidadezinhas onde jamais houve uma livraria. A minha preocupação sempre foi com a busca, a oferta e a entrega do livro pronto. Isso ficou muito claro para mim.

Tanto que eu nunca tirei dividendos da editora, mesmo sendo sócio. Jamais quis fazer isso. Se lucrei alguma coisa – e posso dizer que não perdemos dinheiro – foi com a venda dos livros que publicávamos, no balcão da loja. É sempre importante ter clareza do nosso papel e nossa vocação. Há muitos e muitos anos, cruzei na Feira do Livro de Frankfurt com o editor Alfredo Machado, fundador da editora Record, que mais tarde se expandiria para formar o Grupo Record. Estávamos numa roda social e alguém perguntou a ele: "O que é que o senhor faz?". Alfredo respondeu simplesmente: "Sou um arrecadador de direitos autorais". Pode parecer estranho, mas é a verdade. Alfredo tinha a noção clara do que fazia como editor. E eu também precisei construir uma noção clara da minha função como livreiro.

12

Saber crescer, eis o segredo do negócio

De fato, foi importante reconhecer que meu negócio não era ser editor. Que eu vendia livros, não fazia livros. E vender livros está longe de ser uma tarefa simples. No início dos anos 1970, eu já pensava em abrir filiais. Conversei com minha mãe sobre a ideia da expansão. Chegamos a um consenso, ou melhor, tive carta branca dela para ir atrás de oportunidades que nos parecessem interessantes. Abrimos então uma filial da Livraria Cultura na rua Turiassu, no bairro de Perdizes, Zona Oeste da cidade de São Paulo. Tudo começou assim: um desembargador cliente nosso, dono do imóvel, ofereceu para locação o espaço de uma simpática loja de rua. Como gostamos muito do local – era perto de várias escolas e faculdades –, fizemos as contas e decidimos montar ali a nossa primeira filial, tentando especializá-la em livros didáticos.

A loja ia muito bem, obrigado, quando meu irmão Joaquim se separou da mulher e voltou a morar em São Paulo. Até então, Joaquim vivia e trabalhava na estância de Águas de Lindóia, no ramo hoteleiro, juntamente com o sogro. Com a separação, teve que buscar novos rumos. Chegou a São Paulo sem família, emprego e contatos, então decidiu vir trabalhar conosco na livraria. Não tardaram a surgir problemas entre ele e mim. Éramos diferentes como negociantes e extremamente diferentes como pessoas. Dois irmãos criados da mesma forma, pelos mesmos pais, com os mesmos valores, porém com visões contrastantes sobre quase tudo. Incrível. Minha mãe, a certa altura, resolveu intervir na relação tensa dos filhos. "Vamos ajudar o Joaquim", ela me disse. Ou seja, passaríamos a filial para ele tocar sozinho. E eu ficaria na Paulista, tocando sozinho também. A loja da Turiassu era menor do que a do Conjunto Nacional, sem dúvida, mas com bastante movimento, estoque formado, operando no azul e boas perspectivas de crescimento. Transferimos a loja com tudo o que havia dentro e Joaquim ainda nos levou o Sebastião, ótimo vendedor da livraria da Paulista, empregado de nossa confiança. Tudo pela paz familiar. Meu irmão levou bem a livraria durante anos, no entanto, e não perguntem por que nem como, a partir de um determinado momento foi perdendo clientela, mergulhando em dívidas e se complicando. Uma pena. Em 2001, quando nossa mãe morreu, Joaquim estava muito mal financeiramente.

Retrocedendo no tempo, ainda estávamos tocando a Livraria Cultura da rua Turiassu, Eva Herz e eu, quando um engenheiro do metrô, conhecido nosso, disse que na recém-inaugurada estação São Bento havia espaço para uma pequena loja de 40 m². Por que não uma Livraria Cultura no centro da cidade, Pedro? Boa ideia! Fizemos outra simpática loja de livros naquele espaço diminuto, mas sem conhecer o público-alvo. A verdade é que eu não me fiz perguntas elementares: quem são os frequentadores dessa estação de metrô, Pedro? Têm o hábito da leitura? Quais são as suas preferências? Enfim, eu não sabia nada sobre aquelas pessoas, e mesmo o metrô, à época funcionando com uma única linha de poucas estações, representava uma experiência nova para os paulistanos. Ainda assim, insisti: "Vamos abrir a filial no centro da cidade, por que não?".

As dificuldades começaram na montagem da loja, já que não conseguimos levar para lá a diversidade de títulos que mantínhamos no Conjunto Nacional, onde dispúnhamos de um espaço de 200 m², portanto, cinco vezes maior. Era chato não atender um cliente na loja da São Bento por não ter no local o livro que ele procurava. E isso se repetia com alguma frequência, gerando frustração em mim. Em seguida fui descobrindo que o ponto em si não era bom, tratava-se de um local de passagem, com aquele tipo de movimentação de quem tem pressa para embarcar ou desembarcar. Enfim, lugar de correria, em vez de local com um mínimo de tranquilidade para que se possa escolher, curtir e comprar um livro. Eu diria que esses corredores de passagem são ainda mais caóticos em nosso país, porque o brasileiro já é um sujeito naturalmente atrasado... De toda forma, depois de um ano resolvemos fechar a lojinha do metrô, mesmo que o aluguel fosse baixo. Eu não estava feliz com os resultados da operação. Peguei os livros, devolvi o espaço e ainda deixei para trás um aparelho de ar condicionado novinho, que havia mandado instalar.

Ainda embalado pela vontade de expandir, aceitei o convite do então reitor da PUC de São Paulo de levar a Livraria Cultura para dentro da universidade. Funcionaríamos no prédio principal da instituição, localizado na rua Monte Alegre, também no bairro de Perdizes. De novo, tentei acomodar o que tínhamos no Conjunto Nacional numa área que era a metade disso. E, mais uma vez, deixei de atender clientes por não ter o título que eles queriam. Cheguei a pensar em fazer da loja da Turiassu, quando ainda estava sob a minha direção, um entreposto para suprir a do campus, já que uma não era distante da outra. Também não deu certo, pois logo teríamos problemas com a loja da Turiassu, como já comentei. Porém, na PUC, aconteceu algo ainda mais complicado: eu não conseguia competir com o camelô dos livros que atuava no campus. Sim, senhor, o camelô tinha os lançamentos antes de mim. Como assim? Eu negociava corretamente com as editoras e distribuidoras, respeitava o prazo delas, recolhia impostos, trabalhava dentro da margem etc. e tal, e o camelô me atropelava na sua informalidade, pela rapidez com que começava a vender os lançamentos.

Aquilo me deixou inconformado. Quebrei a cabeça para tentar desvendar o mistério, até o momento em que descobri que o tal camelô dos livros, figura popularíssima entre os estudantes e professores, simplesmente negociava as quebras de tiragem das edições – e também não me perguntem como ele tinha acesso a esse tipo de coisa... O esquema funcionava mais ou menos assim: uma edição nunca tem um número exato de exemplares. A tiragem pode ser de 2 mil exemplares, mas são produzidos de fato 2.067, ou seja, há uma quantidade residual a mais, que se justifica até em função do ajuste de máquinas na gráfica ou algo parecido. Pois bem, o camelô recebia as tais quebras de tiragem na calada da noite – o sujeito deveria ter seus comparsas nas gráficas –, e, antes mesmo que a editora lançasse oficialmente o livro, ele já os tinha para vender. Em primeira mão! Em outras palavras, o meu concorrente era de uma eficiência incrível, eu tinha que admitir, ainda que os seus expedientes não fossem lícitos. Decidi não competir mais e fechei a loja da PUC.

Experiências um tanto quanto frustrantes – a loja da estação do metrô e a da universidade – me mostraram que eu estava errando na minha estratégia. Redondamente. Eu queria expandir a nossa empresa no eixo horizontal, criando filiais pela simples oportunidade de abri-las. Mas, se comparada a uma árvore, eu teria que reconhecer que o tronco da Livraria Cultura naquela época ainda era fraco demais para gerar galhos. Quebraríamos esse tronco frágil. Assim ocorre com as árvores; conosco não seria diferente. Tal constatação me fez ver que eu só poderia expandir a empresa quando ela tivesse um tronco firme, resistente. Daí eu abriria galhos e neles poderia pendurar muitos frutos. Por isso passei anos, décadas, fortalecendo a nossa verticalização empresarial. Só em 1996 comecei a trocar ideias sobre expansão com meu amigo Roberto Bielawsky. Empresário bem-sucedido do setor de alimentação, na época dono da rede Viena e hoje dono dos restaurantes Ráscal, Roberto colocou diante de mim a chance de inaugurar uma loja em um shopping center.

Seria dentro de um empreendimento comercial próximo ao parque Villa-Lobos, à beira da marginal do rio Pinheiros, de frente para a Universidade de São Paulo. Comecei a pensar nisso mais seriamente. Como empresário, eu teria que me preparar para dar um salto grande. Porém, já confiava nas minhas pernas.

13

A primeira Feira de Frankfurt a gente nunca esquece...

Antes de me aprofundar no capítulo da expansão da Cultura, quando ela se torna loja-âncora dos principais shopping centers do Brasil – nunca uma livraria havia experimentado tal ousadia em nosso país –, peço licença para fazer uma manobra em direção ao passado. Uma manobra importante, vocês vão entender por quê. Em 1973, Eva Herz e eu consolidávamos a loja do Conjunto Nacional, a única que tínhamos naquele momento, oferecendo à nossa clientela uma razoável quantidade de títulos importados. Foi quando perguntei à minha mãe: "Se já vendemos tantos livros estrangeiros, por que nós mesmos não os importamos? Por que continuar dependentes de intermediação entre nós e as editoras de fora?". Eram perguntas que faziam sentido àquela altura, mas a resposta passava pela necessidade de ingressar num circuito internacional. Em outras palavras: eu deveria passar a existir para as editoras estrangeiras com as quais já mantínhamos relação comercial, ainda que indiretamente, por meio dos importadores.

A melhor forma de entrar nesse circuito seria passar a frequentar a tradicional Feira do Livro de Frankfurt, na Alemanha. Isso mesmo, a feira seria o passaporte para entrar no seleto clube dos grandes editores, agentes literários e distribuidores de livros do mundo. Ora, isso não seria missão impossível para o filho e sócio de Eva Herz, fluente em alemão e inglês, com curso e experiência de livreiro na Suíça etc. etc. Lá fui eu, em 1973, para a Alemanha, talvez com mais cara do que coragem. E, parodiando aquela conhecida campanha publicitária de lingerie, ao menos no meu caso, posso dizer que "a primeira Feira de Frankfurt a gente nunca esquece".

Embarquei crente que todos os editores me receberiam nos concorridos dias da feira. Que bastaria sacar o meu cartão de visitas, eu, Pedro Herz, diretor da Livraria Cultura, de São Paulo, que todas as portas se abririam, como num passe de mágica. Que eu seria convidado para jantares importantes, com mulheres lindas e bem vestidas, ao lado de homens de terno e gravata. Pois aconteceu exatamente o contrário. Ninguém me conhecia, ninguém me recebeu, ninguém me dirigiu a palavra. Eu era o famoso "Mister None". Me sentindo completamente fora do baile, tentei arrumar algo para fazer naqueles dias, algo que desse um mínimo de sentido à minha viagem. Comecei a juntar papel. Catálogos, propagandas, folhetos de tudo o que acontecia na feira. Minha sacola plástica foi ficando pesada. E eu continuava recolhendo papel. Mais papel. Chegou um dia em que eu não pude mais carregar aquele peso pelos corredores da feira. Decidi então voltar para o meu hotelzinho, mas também não havia táxi. Nem ônibus. Nem carro reservado, evidentemente. Nada. Nada. O pavilhão fechou naquela noite me deixando do lado de fora terrivelmente sozinho, com muito frio e na companhia daquela sacola infernal. Sentei na calçada e chorei.

Minha primeira Feira de Frankfurt foi um horror, mas também seria o início de uma longa história que já dura 44 anos. Jamais deixo de estar lá a cada mês de outubro, para encontrar profissionais das melhores editoras, distribuidores importantes e agentes literários que, embora não façam parte do meu dia a dia, são peças-chave no mercado editorial. Eu sempre digo: ainda que as grandes feiras de livro do mundo, com a de Frankfurt encabeçando a lista, estejam ficando cada vez mais "sociais", para mim ainda é muito importante ter

N° 2277829

Certifico que Don **Curt Herz** que dice ser de estado *casado* y de profesión *Comercio*, que *no* lee y escribe y cuya fotografía, impresión dígito-pulgar derecha y firma figuran al dorso, es nacido el *24* de *Febrero* de 1*904* en el pueblo de *Crefeld*, provincia de *Renania*, nación *Alemania* que tiene 1 m. .... ctms. de estatura, el cutis de color *blau*, cabello *cast*, barba —, nariz de dorso *rect*, base *horz*, boca *med* orejas *med* (parts. de la derecha) ....

Señas particulares visibles ....

Es argentino.
Mat. Militar N° .... del Distrito .... División ....
Observaciones: ....

Buenos Aires, *Dbre 1°* de 19*38*

[signature]

Jefe de Policía

2

AMBULATORIO DI VIA VASARI N. 5
TRIESTE
Diretto dal
Dott. UGO GRÜNBAUM
Consultazioni dalle ore 8 alle 20
Telef. 79-28 e 68-40

27/6 1938/XVI°

Certifico che la signora Walter Trumisca è perfettamente sana e di costituzione fisica forte, esente di malattie infettive, specie tracoma. È stata vaccinata in settembre a.c.

Dott. Ugo Grünbaum

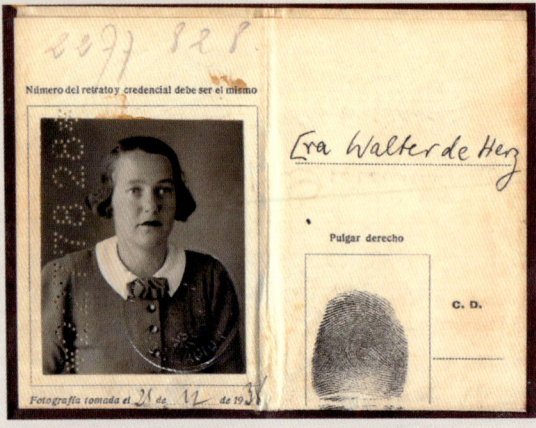

1
A primeira carteira de identidade do meu pai na Argentina, após a fuga da Alemanha, com o nome alterado: Curt e não Kurt

2
Passaportes dos meus pais emitidos na Alemanha nazista

3
O atestado de saúde que todos precisavam para embarcar

4
Carteiras de identidade dos meus pais na Argentina

5
Meus tios Ruth e Erich, que me receberam na Suíça

5

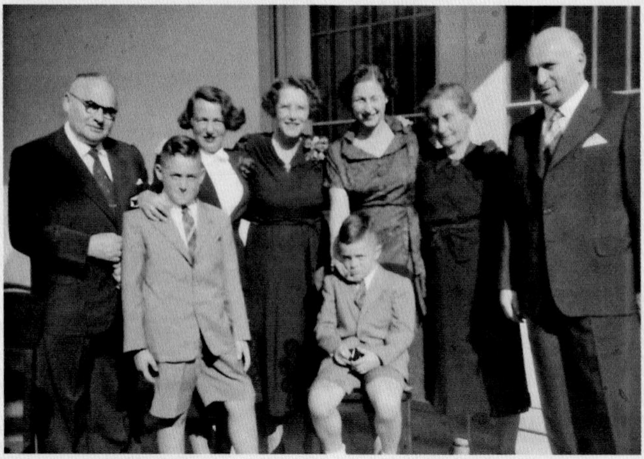

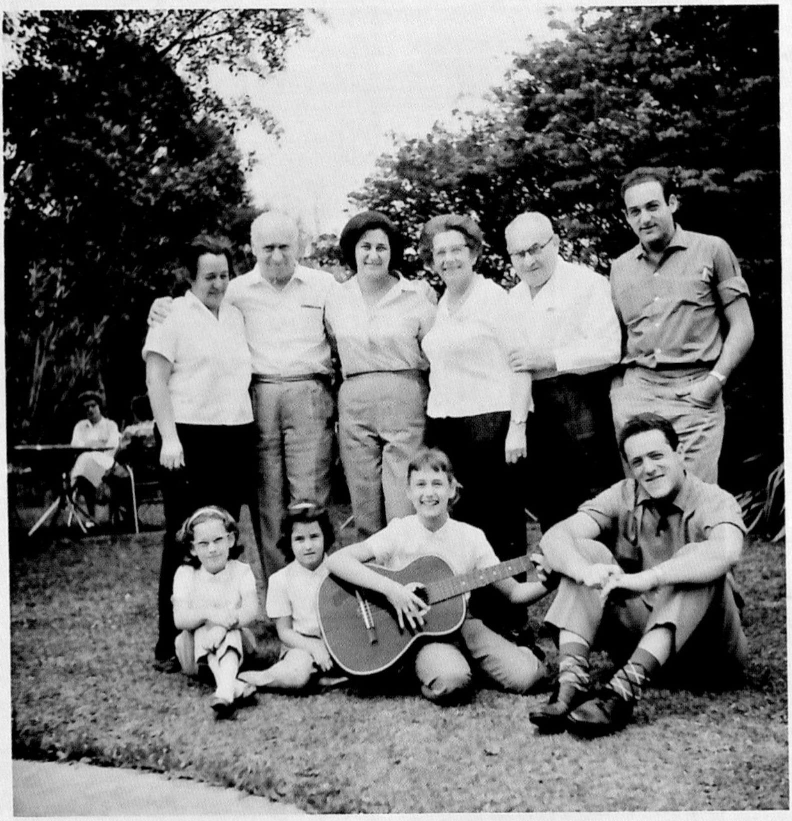

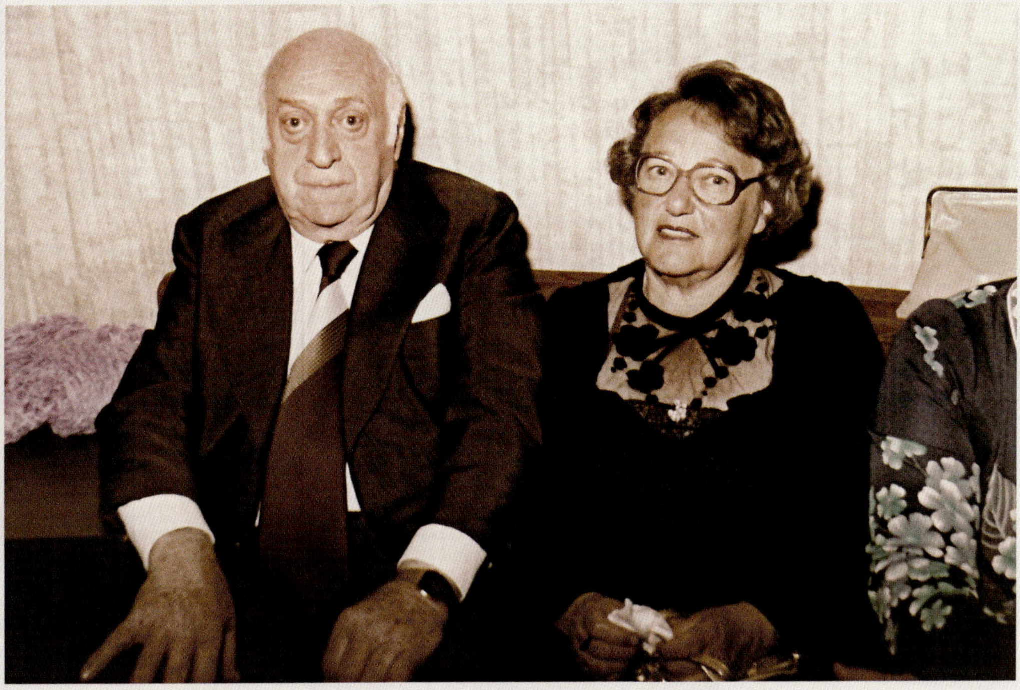

6
Cenas de nossa vida
em São Paulo: entre
familiares e amigos,
momentos mais
formais e outros mais
descontraídos

7
Meus pais, sempre
tão unidos

8
Ives Gandra Martins,
jurista e frequentador
das rodas de sábado
na Cultura, com
o artista plástico
Domenico Calabrone

9
Noite de autógrafos
de José Mindlin,
um grande amigo
da nossa família

8

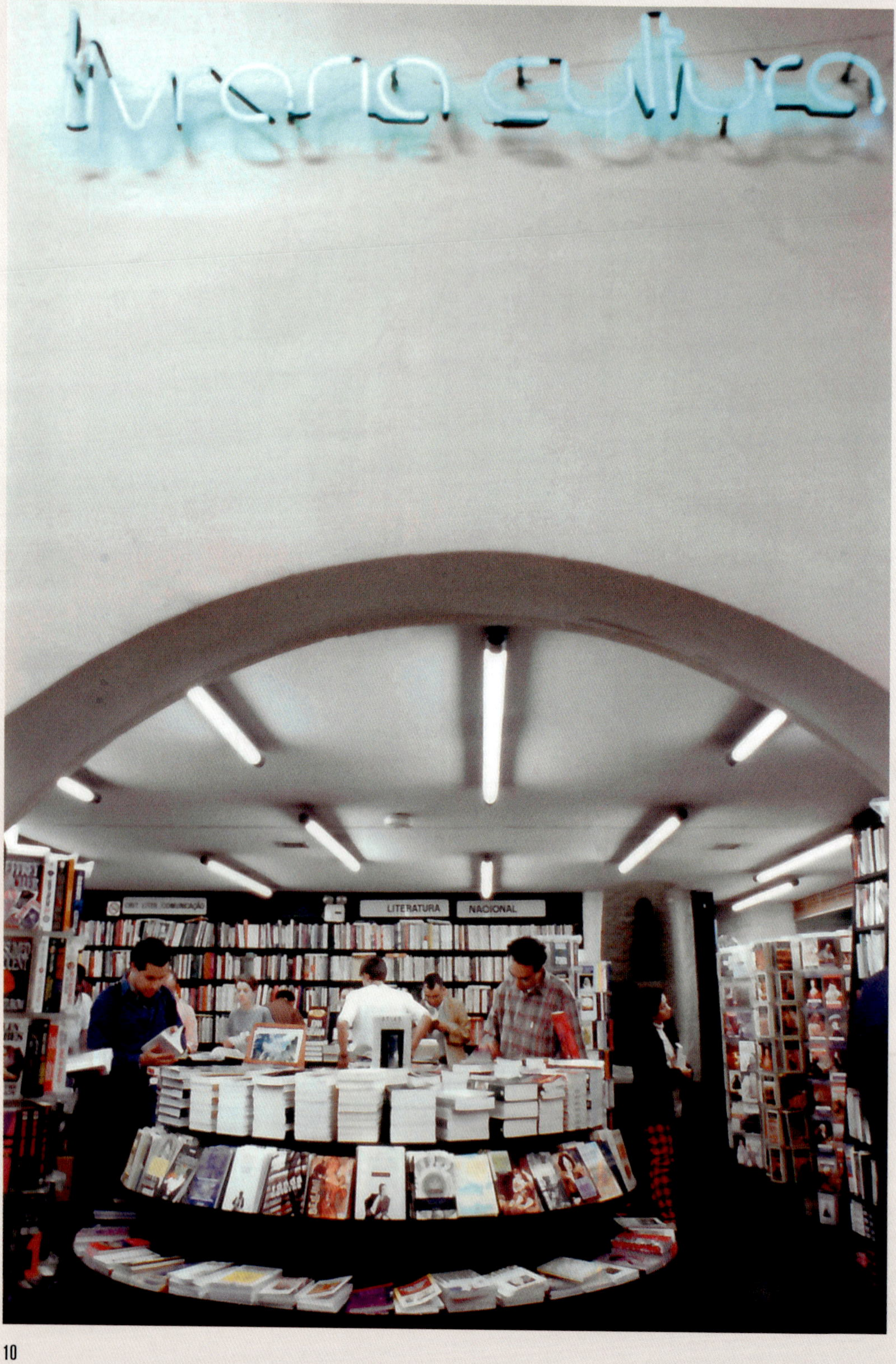
livraria cultura
LITERATURA
NACIONAL

11

12

13

10
Nossa loja nos tempos do neon

11
Interior de uma das filiais no Conjunto Nacional

12
A grande loja do Conjunto Nacional, projeto premiado do arquiteto Fernando Brandão que transformou um cinema em livraria

13
Nossas filiais em Fortaleza e Porto Alegre

14
Loja no shopping Iguatemi São Paulo, projeto premiado do arquiteto Marcio Kogan

15
Na contramão da crise, concluímos a aquisição da Fnac Brasil em 2017

16

17 | 18

16
Bons momentos
em família e
com amigos
muito queridos

17 | 18
A alegria de receber
dois Nobel
de Literatura:
José Saramago
e Mario Vargas
Llosa, acompanhado
do editor
Luiz Schwarcz

19
Na gravação do programa *Sala de Visita*, no canal da livraria do YouTube, converso com gente do meio cultural. Aqui, com Mario Sergio Cortella

20
O rabino Sobel, tão admirado pelo meu pai e por mim

contato olho no olho com meus fornecedores. Hoje as transações editoriais são perfeitamente resolvidas por meio da internet, em todas as suas etapas, com eficiência e rapidez. Não haveria a necessidade de pagar caro e ir tão longe para ter encontros pessoais. Ainda assim, não abro mão deles.

Como vocês podem imaginar, o choro de desalento numa calçada alemã, em 1973, não foi razão suficientemente forte, ou traumática, para que eu batesse em retirada e nunca mais voltasse a pisar na Frankfurter Buchmesse. Entendi que eu precisaria trilhar o meu caminho nesse que ainda é o mais importante encontro para profissionais do mundo editorial. Uma feira com séculos de tradição. Tratei de resolver o problema da sacola-chumbo despachando aos poucos a papelada para o Brasil – papelada que começaria a chegar ao seu destino três meses depois, mas, paciência. Toda noite eu entrava moído no hotel, esvaziava a sacola, fazia pacotes e no dia seguinte, logo cedo, ia ao correio para me livrar do peso. E logo recomeçava a coletar mais papel.

No ano seguinte, me preparei para Frankfurt com mais sensatez. Ao menos postei previamente algumas cartas de minha mãe no correio, apresentando-nos como Livraria Cultura e solicitando que eu fosse recebido por alguns editores nos dias da feira. Cartas-resposta chegaram a nós e assim pude marcar meus primeiros encontros. No começo, tive conversas com um Fritz aqui, outro Fritz acolá. Mas, com o passar dos anos, minha rede de contatos tornou-se uma realidade, eu diria mesmo, um bem precioso. Além disso, muitos laços comerciais transformaram-se em laços de amizade: encontros se repetiam de um ano para outro, com as mesmas pessoas, era engraçado retomar o papo no ponto em que havíamos deixado na feira anterior. A verdade é que, décadas atrás, eu tinha a certeza de encontrar em Frankfurt os mesmos representantes de editoras. Hoje a instabilidade do mercado faz com que, a cada ano, eu tenha que me apresentar, ou ser apresentado, a novos representantes. Paciência.

Nas minhas primeiras idas a Frankfurt, eu procurava distribuidores que vendessem um pouco de tudo, porque a nossa livraria em São Paulo era bem dinâmica, sim, mas tinha lá os seus limites. Explicando melhor: lidávamos com quantidades limitadas, não me interessava operar com atacadistas, ou seja, com as editoras interessadas apenas em vender grandes quantidades. Grossohaus Wegner foi um desses distribuidores alemães com quem iniciamos longa parceria. Por meio dele acessei os depósitos de livros que me interessavam: eu procurava centralizar pedidos no Wegner e ele me dava uma parte da margem de desconto que recebia das editoras. Mais tarde, anos 1990, iniciei uma parceria com o embarcador inglês Charles Thompson – como eram simpáticos os coquetéis anuais oferecidos por Charles aos seus clientes em Frankfurt, num dos dias da feira, quando todo o protocolo consistia em afrouxar a gravata, abrir uma cerveja e saborear uma boa salsicha alemã. Pois bem, a figura do embarcador, um consolidador de cargas, me trouxe a visão de logística da operação de importar livros. Isso ajudou muito, inclusive me livrando da chatice da burocracia alfandegária no Brasil. Charles já se aposentou, mas sempre me lembro dos coquetéis que ele nos oferecia, em algum hotel de Frankfurt. A propósito, nesses 44 anos de feira, tenho a impressão de já ter me hospedado em todos os hotéis da cidade. Do mais mequetrefe ao mais ajeitado. Entre os mequetrefes, não posso deixar de mencionar o Excelsior, perto da estação de trem. De tão espartano, foi apelidado carinhosamente de Auschwitz Inn.

Frankfurt também passou a ser o momento certo para encontrar os editores brasileiros, driblando nosso afastamento natural aqui no país, já que cada um tem o seu negócio para tocar. Desde sempre estive em companhia de editores como Alfredo Machado, Waldir Martins Fontes, Pedro Paulo Senna Madureira, Paulo Rocco, Luiz Schwarcz, Roberto Feith, entre tantos outros. E Frankfurt serviu também como pretexto para um encontro que se repetiu por longo tempo, do qual guardo as mais doces lembranças. Trata-se do jantar anual na casa da saudosa Ray-Güde Mertin, agente literária que nos recebia, com toda a simpatia deste mundo, na agradável cidadezinha de Bad Homburg, a trinta minutos de metrô do centro.

Ray-Güde era uma pessoa adorável. Casada com um alto executivo de uma consultoria internacional, viveu no Brasil por vários anos, tendo oportunidade de adotar aqui os seus dois únicos filhos. Entre 1969 e 1977, deu aulas de língua e literatura alemã, primeiro na USP, depois na Unicamp. Foi nesse tempo que se aproximou da literatura em língua portuguesa, com ênfase na brasileira, e também na latino--americana. Como tradutora, levou para os leitores alemães obras de Clarice Lispector, João Ubaldo Ribeiro, Ignácio de Loyola Brandão, entre outros, portanto, imaginem o quanto devemos a essa mulher. No início dos anos 1980, contudo, seu marido foi reconduzido para a Alemanha pela multinacional que representava. Lá se foi Ray-Güde com o marido, suas crianças, seus livros, sua imersão tão apaixonada na cultura brasileira, deixando para trás a querida Mãe Preta, que não encarou a aventura de se mudar com a família para uma terra tão distante. Posso explicar essa difícil separação: aqui em São Paulo, Ray-Güde pôde contratar os serviços de uma empregada doméstica vinda do Nordeste, que a ajudou a criar os filhos. Sem a ajuda desta mulher, certamente não poderia ter desenvolvido a carreira acadêmica que desenvolveu, nem ter mergulhado na literatura de língua portuguesa, como fez efetivamente. Mãe Preta, na volta da família para a Alemanha, não seguiu com eles. Sempre que me reencontrava com Ray, fosse por ocasião das feiras de Frankfurt ou quando ela nos visitava em São Paulo, eu a ouvia falar da gratidão que sentia por sua parceira de vida. E nunca deixava de visitá-la. "Hoje não posso ver você, Pedro, tenho que visitar a Mãe Preta."

De regresso à Alemanha, a família Mertin se fixou numa charmosa casa de três andares em Bad Homburg. No andar térreo do imóvel, Ray-Güde organizou e fundou sua agência literária, ao mesmo tempo que iniciava um doutorado na Universidade de Frankfurt, dedicado à obra de ninguém menos que Ariano Suassuna. A agência sempre primou pela qualidade, pelo olhar seletivo, pelo alto nível das conexões com o mundo editorial. Ray continuou a levar nossos autores para o público alemão, como agente literária: Graciliano Ramos, Guimarães Rosa, Antônio Callado, Lygia Fagundes Telles, Moacir Scliar, Carlos Heitor Cony, Luis Fernando Verissimo, Fernando Bonassi, Patrícia Melo, entre outros. Em 1986, começou a agenciar um autor português que contemplaria o nosso idioma com o Nobel de Literatura, doze anos depois. Lembro muito bem daquele momento: José Saramago havia viajado a Frankfurt para participar de um evento ligado à feira. Na véspera, jantou conosco na casa da Ray, no dia seguinte falou no evento e logo tomou um carro rumo ao aeroporto, para pegar o voo de volta a Portugal. Justamente na operação embarque, a Real Academia da Suécia divulgou seu nome como ganhador do Nobel de Literatura daquele ano. Foram buscar Saramago dentro do avião para lhe dar a notícia! Quanta alegria, o Nobel para um autor de língua portuguesa, finalmente! Ray estava imensamente feliz: era a agente literária exclusiva de Saramago para o mundo. Celebramos, lavamos a alma.

Os jantares anuais na casa da Ray aconteciam sempre dois dias antes da abertura oficial da feira. Ou seja, na segunda à noite, pois na quarta cedo teríamos todos que estar nos pavillhões, trabalhando firme. Seus convidados eram basicamente os autores que representava – sempre encontrávamos brasileiros, portugueses, europeus do Leste, africanos e latinos – e um grupo de editores. Posso dizer que eu era o único convidado cativo que não se enquadrava nem como autor, nem como editor. Era amigo da Ray, ela que nos viu crescer na livraria, que conheceu meus pais, com quem compartilhamos tanta coisa. O cardápio jamais mudava nas noites festivas em Bad Homburg: a cada ano reencontrávamos uma deliciosa vitela em creme azedo e uma sobremesa bem típica, chamada *rote grütze*, feita com frutas vermelhas do bosque. Dietz, o marido-anfitrião, caprichava nos vinhos, sempre excelentes. Que casal simpático. Minha amiga Ray nos deixou em 2007, aos 64 anos, vencida por um câncer. Sua partida abriu em mim um vazio. Muita saudade. O lado bom é que a agência continua, tocada por pessoas que ela mesma formou. Em 2015, a Mertin foi eleita a Agência Literária do Ano, por um júri de especialistas da London Book Fair.

De 1973 até hoje, posso dizer que a Feira de Frankfurt mudou muito. Lá atrás, tudo acontecia num único pavilhão. Depois vários outros pavilhões vieram, um a um, ampliando essa grande vitrine do que há de mais relevante no negócio do livro. Aquilo é um mundo à parte, investimento magnífico que a cidade de Frankfurt fez ao criar um espaço expositivo sem igual no mundo. A meu ver, foi uma decisão muito acertada da administração local. E nos ajuda a entender por que a Feira de Frankfurt se mantém na dianteira em relação às outras feiras do gênero, no circuito internacional – como Londres, Nova York ou Bolonha, por exemplo.

Quero contar uma passagem curiosa: um dia finalmente conheci o montador de todo aquele complexo, um sujeito que me foi apresentado por Alfredo Weiszflog, diretor da Companhia Melhoramentos e, na ocasião, presidente da Câmara Brasileira do Livro (CBL). Mostrei-me interessado em saber quantos milhares de pessoas e quantos meses eram necessários para erguer um evento daquelas proporções. O montador da feira girou a cabeça para os lados e respondeu com toda a simplicidade: "Monto tudo isto aqui em 48 horas". Como assim? Dois dias e duas noites para montar um evento que corresponde a pelo menos dez pavilhões do Anhembi em extensão, sem falar na complexidade da coisa toda? Daí o homem me mostrou uma ferramenta, de alta precisão, claro, que faz tudo na montagem do estande a partir de pequenos movimentos manuais de rotação, correspondentes a um quarto de volta apenas! Um clic-clac. E pronto. Ou seja, as estruturas metálicas dos estandes chegam em carrinhos, são depositadas no local certo, conforme o mapa predeterminado da feira, e um montador, com a tal "ferramenta mágica", faz acontecer o estande em cerca de uma hora. Coisa de alemão, convenhamos.

Atualmente, com as fusões empresariais no setor, os impactos ainda não totalmente dimensionados das tecnologias digitais e a insegurança financeira geral – afinal, a crise chegou para todos, – a Feira de Frankfurt acaba servindo de espelho para o que acontece no mundo editorial. Não há dúvida de que esse mundo cresceu ao longo dos anos, assim como cresceu a indústria gráfica propriamente dita. Cresceu e se modernizou. Hoje há editoras que criam o desenho, ou seja, o *mise-en-page* de um livro infantil ilustrado, cujo texto original deverá ser traduzido em diferentes idiomas, para ser "encaixado" sem problema nessa mesma embalagem gráfica válida para todas as línguas e edições, numa redução de custos radical. Fora isso, esse mesmo livro pode ser impresso na Tailândia, para ser vendido no Brasil ou na Austrália. Está tudo globalizado! Outra coisa: venho notando que o espaço da Feira de Frankfurt reservado aos agentes literários tem tido um bom movimento de compra e venda de direitos autorais nos últimos tempos, ainda que se possa fazer esse tipo de transação pela internet. Como explicar isso? Como explicar que ainda se iniciem ou se consolidem tantos negócios em Frankfurt? Arrisco uma resposta: a internet não substitui o contato pessoal em plena era digital. E os agentes literários tiveram que se reinventar. Hoje eles não negociam apenas direitos para a publicação de livro em papel, mas para livro eletrônico, audiobook, obra audiovisual, cinema, teatro, musical etc. Negociam direitos sobre um determinado conteúdo, que pode se expressar em diferentes suportes.

Insisto, tenho necessidade de conhecer e olhar os meus fornecedores. A gente senta, conversa e negocia, enfim, ainda acredito que as características individuais contam muito numa transação comercial. Não pretendo perder essa convicção, até porque o contrário dela não me anima. Vou dizer algo que pode soar meio incômodo: em Londres, consigo negociar com o presidente de um grande grupo editorial. Aqui, no Brasil, me mandam falar com o departamento de vendas. É incrível, mas pode acontecer. Outra coisa: propor uma parceria de marketing com uma editora estrangeira é muito mais fácil do que com uma nacional. Se eu quiser fazer barulho em torno de uma obra estrangeira para o meu público infantil no Dia das Crianças, por exemplo, consigo que a editora lá fora reaja rapidamente. Juntos vamos pensar em brindes, vou recebê-los sem demora e, se eu tiver algum problema, será com a alfândega brasileira para liberar o material. O mesmo tipo de operação aqui no Brasil é quase impossível – tudo seria mais emperrado, muita burocracia inútil. Mas, pensando bem, vejo que a internacionalização de algumas editoras brasileiras tem constituído uma oportunidade de mudança. Porque elas aprendem, queiram ou não, a ser mais criativas, rápidas e flexíveis para melhor vender seus títulos.

14

Como cheguei a um novo conceito de livraria

Com seu dinamismo, Roberto Bielawsky foi me convencendo da ideia de abrir uma loja-shopping. Não por acaso, afinal, ele fazia parte do núcleo de incorporação do shopping Villa-Lobos, à beira do rio Pinheiros, uma região da cidade de São Paulo predestinada a ganhar muitos empreendimentos imobiliários. Hesitei, confesso. Depois topei fazer a livraria no Villa-Lobos, escaldado por experiências frustrantes com aquelas primeiras filiais. Daí aconteceu aquele lance inesperado que decide a partida: o comerciante que iria abrir a loja de imagem & som no novo empreendimento, bem ao lado da nossa futura loja, acabou roendo a corda por atravessar dificuldades financeiras. Desistiu de abrir seu ponto de vendas no futuro shopping. "Pedro, por que você também não assume a venda de CDS, DVDS ?" Como assim, Roberto? Meu negócio é livro. Não sei vender outra coisa que não seja livro. E não entendo de shopping! A essa altura, minha mãe já não trabalhava comigo. Havia se aposentado e deixado o negócio para mim. Logo, quem teria que decidir pela nossa expansão seria eu mesmo. Pensei muito. Olhei para os meus filhos, que apenas começavam a trabalhar comigo, e decidi aceitar o desafio. Melhor errar, e consertar, do que não errar, sem nunca ter tido a coragem de tentar. Em frente, Pedro. Não entrei no Villa-Lobos para ser uma lojinha, mas para ser uma das âncoras do shopping. Admito que fiquei emocionado ao ver a logomarca da Livraria Cultura no alto da fachada do Villa-Lobos, quando o shopping foi inaugurado, em 2000. Ok, hoje não está mais lá porque vigora a Lei Cidade Limpa.

Penamos um bocado na construção da nossa primeira loja-shopping. Eu diria mesmo que a filial do Villa-Lobos foi a mais cara, por metro quadrado, de todas as outras da rede. De repente, eu me vi com um espaço de 3.350 m² para vender livro, som e imagem. O que fazer com aquilo tudo? Foi o que perguntei de cara ao Fernando Brandão, um jovem arquiteto paulista que havia trabalhado com Luiz Paulo Conde, no Rio, e vinha se destacando com trabalhos bastante criativos em instituições como Sesc e Fundação Bienal de São Paulo.

Começamos a quebrar a cabeça juntos, Fernando e eu. Guardava algumas ideias comigo, que poderiam nortear o projeto. Por exemplo, sabia que seria fundamental reter o nosso cliente, pelo maior tempo possível, dentro da loja. Se ele ficasse mais conosco, não só compraria livros, mas os benditos CDS e DVDS, até porque quem lê, assiste também a um bom filme ou curte uma banda de jazz. Conhecendo a cabeça do meu comprador de livro, a estratégia me deu uma certa segurança. Portanto, teríamos que construir um espaço muito acolhedor.

Assim fui moldando o conceito da nossa loja-shopping. Vi que seria importante ter ao menos um auditório, onde ofereceríamos uma programação cultural atraente, variada e, tanto quanto possível, permanente. Assim nasceu a primeira Sala Eva Herz, homenagem que pude fazer para a minha mãe ainda em vida, lá no Villa-Lobos. Nesse auditório de 139 lugares, poderíamos promover encontros com autores, pequenos debates sobre temas diversos, apresentações musicais – eu já pensava em comprar um piano de cauda, para começar com os recitais. Primeiro cogitei um piano Steinway de segunda mão, mas, feitas as contas, acabei adquirindo um modelo Yamaha zero-quilômetro. O alemão, mesmo usado, era muito caro. Daí pedi ao Fernando Brandão que pensasse em algo especial para o nosso público mirim. E ele teve a ideia de colocar no espaço da loja um grande animal de madeira, um lindo dragão que "moraria" na parte dos livros infantis. Adorei. Faríamos um bicho que não amedrontasse as crianças, ao contrário, no qual elas pudessem pular, deitar, sentar e desfrutar de momentos prazerosos de leitura, ao lado do "amigão". Pensei também em ter um ponto para um bom café expresso – afinal, quem lê também gosta de uma pausa para o cafezinho. O empresário paulista Elvio Lupo e sua mulher, Suely, gostaram da ideia e se prepararam para abrir o nosso primeiro ponto do café. Nunca haviam mexido com isso. Assim fui desenvolvendo estratégias para retenção dos nossos clientes. Juntas, elas configuravam um novo conceito de livraria, um lugar feito para "chegar e ficar", e não um lugar para "passar e ir embora". Claro que, ao mesmo tempo que ia burilando essas estratégias, meu modelo começava a ser copiado a torto e a direito por outras livrarias. Mas, cá entre nós: esse tipo de imitação não me incomoda a mínima. Não vejo problema em ser imitado tendo sido o primeiro, o pai da ideia.

De fato, Fernando Brandão foi muito inspirado ao desenhar a nossa primeira loja-shopping – deu a ela um visual alegre, graças às cores quentes que empregou em certas paredes e colunas, como também no jogo de tons do carpete, sem abrir mão de uma harmonia necessária a quem quisesse iniciar ali a leitura de um livro ou a audição de um CD de música clássica. Esse lado mais intimista do projeto, digamos assim, também ficaria por conta do uso da madeira nas estantes, nos revestimentos e em grande parte do mobiliário, tudo isso sob uma iluminação suave, pensada para descansar os olhos – algo até terapêutico, considerando a poluição visual de uma metrópole como São Paulo.

Eu dizia a vocês que a filial do Villa-Lobos foi a loja-shopping mais cara da nossa rede, e hoje sei explicar como isso aconteceu. Não tínhamos a menor prática desse tipo de projeto, portanto, acabamos contratando uma construtora, certos de que estaria tudo resolvido. Só que tivemos, sim, muitos problemas. E mais: os problemas foram aparecendo e nós fomos nos perdendo no meio deles. Repetiu-se conosco aquela situação já bem conhecida de muitos: o eletricista joga a culpa do atraso no encanador, que por sua vez ataca o marceneiro, que não gosta dos pedreiros, que implicam com o arquiteto, e assim por diante. Cria-se o labirinto dos infortúnios. Tivemos dificuldades a superar com o piso, o ar-condicionado, os materiais de acabamento. Brigamos muito ao longo de toda a obra, exatamente pela falta de compatibilização entre os diferentes serviços. Houve erros até engraçados: Fernando Brandão desenhou um bonito móvel para o caixa, mas de passagem tão estreita que ele não conseguiu atravessá-lo com suas medidas generosas. Simplesmente entalou! Claro, rimos muito e corrigimos.

Abrimos para o público no dia 19 de abril de 2000, depois de um ano e meio em obras, exatamente na data de inauguração do shopping. Foi uma felicidade ver chegar os nossos clientes, que por sua vez se mostravam encantados com o espaço – mal sabiam da pauleira... A filial do shopping Villa-Lobos serviu, de fato, como o grande laboratório da expansão da Livraria Cultura. Ali aprendemos a ter café dentro da loja, a vender produtos que não eram livros, a controlar a iluminação, a compor as vitrines, a montar programações culturais... Muitos devem se lembrar das estações para ouvir música que instalamos no Villa-Lobos. Tinham a forma de uma cúpula suspensa, de uso individual, com som de altíssima fidelidade que se propagava de forma direcional, dispensando os fones de ouvido. Portanto, aquilo era uma novidade absoluta, só que pagamos uma fortuna para importar o equipamento. Resumindo a ópera, entre mortos e feridos, salvamo-nos todos. E mais: gostamos do desafio. Quando fomos convidados pelo Grupo Zaffari para abrir uma filial no Bourbon Shopping Country de Porto Alegre, pouco tempo depois, nós nos demos conta de já ter feito um curso intensivo sobre

"Como não repetir os mesmos erros, abrindo espaço para outros". Na operação gaúcha resolvemos não contratar uma construtora, mas um engenheiro-construtor. Buscávamos reduzir as encrencas eliminando intermediários. A loja de Porto Alegre foi inteiramente discutida em nossos escritórios, com a participação constante do Fernando. Aprendemos como compatibilizar os diferentes projetos de uma obra complexa – o projeto de construção do espaço propriamente dito, o hidráulico, o elétrico, o acústico, o tecnológico etc. Reuníamos os especialistas em torno de uma mesa, cada um abria o seu projeto e procurávamos harmonizar todos. Resultado: o custo por metro quadrado caiu drasticamente.

Nossa livraria gaúcha abriu em 2003, depois viria Brasília em 2004, Recife em 2005, e assim fomos seguindo no compasso de uma nova loja-shopping por ano, até atingir um conjunto de dezessete. Soluções racionais pipocavam aqui e ali: por exemplo, a marcenaria da loja de Brasília foi feita com os profissionais que havíamos contratado em Porto Alegre. Saíam do Sul carretas imensas rumo à capital federal, transportando estantes, balcões, bancos etc. Em compensação, entramos na Justiça em Recife contra um empresário que não pagava os marceneiros, tanto que os pobres coitados foram expulsos da pensão horrível em que viviam – ou em que eram confinados – após o batente. Coisas assim...

Mantivemos o mesmo arquiteto na expansão. Com isso, Fernando Brandão fixou uma linguagem própria, uma *signature* com as nossas lojas, recebendo inúmeros prêmios de arquitetura – entre eles, o Prêmio Asbea, concedido pelos escritórios de arquitetura do Brasil; O Melhor da Arquitetura, da revista *Arquitetura & Construção*; e o Idea Brasil, dentro do International Design Excellence Award (IDEA), dos Estados Unidos. A única loja que não teve projeto dele foi a do Iguatemi de São Paulo, que, por sugestão do próprio shopping, foi entregue ao arquiteto Marcio Kogan. Explicando melhor: os empreendedores do Iguatemi paulistano queriam um projeto distinto das demais lojas da Cultura, e assim Kogan criou um projeto belíssimo com sua equipe de arquitetos, projeto que também lhe rendeu prêmios internacionais de arquitetura – destaco dois deles, o Inside Awards, de Cingapura, e o If Gold Design Award, da Alemanha. É recompensador verificar que, com o nosso crescimento empresarial, pudemos contribuir de alguma forma para o aprimoramento da arquitetura comercial brasileira. E somos agradecidos aos nossos arquitetos. Com seu trabalho, eles também nos ajudaram a ser mais conhecidos fora do Brasil.

Nossa primeira
loja na Paulista,
após a reforma

15

Ocupar o Cine Astor: o desejo secreto virou realidade

Nossa rede se espalhava pelo país quando, em 2004, decidimos crescer exatamente no ponto onde abrimos ao público nossa primeira livraria, saindo daquele espaço improvisado em nossa casa – falo do Conjunto Nacional, na avenida Paulista, que os olhos da minha mãe anteviram como sendo "o futuro". Estávamos já com quatro lojas segmentadas naquele endereço – uma de humanidades, outra de artes, idiomas e livros técnicos –, havíamos construído filiais em outros estados, mas então comecei a namorar o espaço vago do Cine Astor, bem ao lado das nossas lojas no Conjunto. O que me atraía naquele cinema vazio e decadente? Inaugurado em 1962, o Astor foi talvez a mais chique das salas paulistanas de cinema. Entrava-se pelo piso térreo e subia-se por uma escada glamorosa até chegar à sala de projeção. Dentro dela, o espaço se abria num incrível pé-direito de 17 m! A decoração era harmoniosa e as cadeiras, incrivelmente confortáveis. Quando jovem, tive a ideia de convidar minha namorada para ir ao cinema e sentar com ela numa poltrona, pagando uma só entrada. Bem que eu tentei, só que o bilheteiro do Astor não gostou da ideia. "Mas nós vamos ocupar apenas uma poltrona..." Coisa de garoto.

O fato é que o lugar estava fechado havia anos e ouvíamos rumores de que daria lugar a uma praça de alimentação, o que já seria uma lástima, convenhamos, ou seria transformado em igreja evangélica. Quando se aventou a segunda hipótese, os cinéfilos se eriçaram. Não aceitavam que o espaço onde assistiram a obras-primas como *Psicose*, de Alfred Hitchcock, ou *La dolce vitta*, de Federico Fellini, fosse transformado em igreja. Templo por templo, ficavam com o do cinema. As hostes se mobilizaram, em protesto. Havia todo esse ti-ti-ti no ar quando o próprio dono do cinema me procurou. "Por que não levar a livraria para lá, Pedro?" Evidentemente isso resolveria problemas concretos, além de apaziguar os ânimos. A visão de Wilton Figueiredo, empresário de Ribeirão Preto, dono de muitas salas de cinema pelo Brasil – inclusive algumas alugadas para igrejas evangélicas –, veio de encontro ao meu desejo até então secreto: ocupar o Astor era tudo o que eu queria.

Alugamos o antigo cinema. Até hoje somos seus inquilinos e mantemos uma ótima relação com o Wilton. Quando fechamos o contrato de locação, chamei novamente o arquiteto Fernando Brandão para desenvolver o projeto de uma nova livraria, agora com 4.300 m², com as peculiaridades do espaço original a ser enfrentado. Começando do fato de que o cinema fora construído num declive acentuado, como um anfiteatro. Ou nós levaríamos caminhões e caminhões de terra para tentar fazer uma loja plana ou pensaríamos em alguma solução arquitetônica que tirasse partido da inclinação. Fernando bolou uma saída criativa: propôs fazer a loja em três níveis, sem perder o pé-direito magnífico. Teríamos dentro dela um teatro de verdade, com todas as especificações técnicas para isso. Haveria uma área protegida para vender música clássica e jazz, atendendo a um público mais exigente. E, por fim, uma área de alimentação com refeições leves e bom café. Mix perfeito, vamos em frente!

Foi também uma obra complexa, como se pode imaginar, bem no coração financeiro da cidade. Por exemplo, só aos sábados eu podia estacionar um enorme caminhão na rua Padre João Manuel, que bombeava concreto diretamente para a obra. Durante a semana, nem pensar em parar betoneiras por ali. Essa e outras restrições exigiram mais programação e controle da nossa parte. Ainda assim, ou talvez por isso mesmo, conseguimos segurar o preço do metro quadrado da obra, administrando custos e prazos com pulso firme. Um ano e meio depois, inauguramos a grande loja. Era a noite de 21 de maio de 2007.

Recebemos milhares de convidados, gente que não acabava mais: governador, prefeito, secretários das duas administrações, artistas, professores, escritores, editores, jornalistas... éramos, de fato, o *talk of the town*. Ignácio de Loyola Brandão, em sua coluna no "Caderno 2", escreveu uma deliciosa crônica chamada "Só São Paulo faria uma livraria assim". Reuniu lembranças de sua longa convivência conosco e particularmente dos amigos que por muito tempo se reuniram aos sábados para comer coxinhas, empadinhas e tomar um uisquinho ali na porta da livraria. Era um encontro bem informal, que acontecia entre 10h e 14h, mais ou menos, em torno de umas poucas mesinhas à porta da loja. Vale relembrar isso.

Naquele grupo de intelectuais sem nenhuma pose, o negócio era chegar, sentar e bater papo: lembro-me da presença sempre tão querida de Lygia Fagundes Telles, nossa grande escritora, do jurista Ives Gandra Martins, do poeta e gestor cultural Antonio de Franceschi, do poeta e crítico Mário Chamie, dos juízes Wanderley Aparecido Borges e Maurício Botelho, do jornalista e escritor Ivan Angelo, do meu querido Murilo Felisberto, o Murilinho, então diretor do *Jornal da Tarde*, do próprio Loyola, claro, entre outras tantas personalidades paulistanas. Que turma boa frequentou o calçadão da primeira Cultura no Conjunto Nacional! Não conseguirei citar todos aqui, pois havia frequentadores mais assíduos, outros bissextos. Muitos hoje vivem na minha saudade. Chegamos a organizar um bar privê, acreditem – os amigos traziam suas próprias garrafas, eu as etiquetava e as guardava num armário da loja, na condição de fiel depositário. As garrafas só surgiam aos sábados, quando os donos chegavam perguntando por elas. Eu também deveria estar pronto a oferecer gelo e copos para todos. Os quitutes vinham do botequim ao lado. Lembro-me bem do dia em que Ives Gandra tentava permutar uma coxinha por uma dose de uísque... quem imagina um jurista do porte do Ives propondo esse tipo de troca? Sim, aquilo era uma farra.

Na crônica publicada quando inauguramos a nova Cultura, Loyola relembrou esse grupo divertido, que naturalmente se desfez, depois de longos anos de convívio. Também falou do impacto "avassalador" que sentiu ao ver a nova loja nascida do cinema, "um lugar ao mesmo tempo imenso e aconchegante", que deveria entrar para o roteiro turístico da cidade. Generosidade do amigo, é certo, mas, de fato, a loja do Conjunto Nacional virou atração para turistas que visitam São Paulo. Também não posso deixar de me referir à impressão que o escritor português José Saramago teve, ao nos visitar depois da inauguração, impressão que acabaria registrada em um de seus livros, chamado *O caderno*:

"A última imagem que levamos do Brasil é a de uma bonita livraria, uma catedral de livros, moderna, eficaz, bela. Uma livraria para comprar livros, claro, mas também para desfrutar do espetáculo impressionante de tantos títulos organizados de uma forma tão atrativa, como se não fosse um armazém, como se de uma obra de arte se tratasse. A Livraria Cultura é uma obra de arte".

São palavras que sempre causam emoção, vindas de uma figura encantadora como Saramago, nosso Nobel de Literatura. Ficamos muito honrados com elas.

Com a abertura da grande loja, evidentemente tivemos que ampliar o quadro de funcionários, pois aquele espaço enorme ficaria aberto sete dias por semana, e isso não é brincadeira. Além da ótima venda de livros, algo que era esperado, as áreas de CDS e DVDS faturaram muito nos primeiros anos. Foi uma surpresa, pois demoramos bastante a ter produtos de som & imagem na Paulista, não sabíamos ao certo qual seria o interesse do público. Também nos surpreendemos com a circulação de clientes à hora do almoço, público dos escritórios e empresas da região. E, sobretudo, ficamos agradavelmente impactados com a presença da garotada em férias. Até hoje essa turma vem em peso para a Cultura do Conjunto Nacional, para passar muitas horas do dia, ainda que comprando pouco ou nada. Eu sempre penso: melhor que esses meninos estejam aqui do que zanzando pela rua. Enfim, nossa loja maior superou todas as expectativas. Certo, devo admitir que o Brasil atravessava um período bem melhor do que o que temos hoje, não só em termos econômicos. Mas também confesso que o trunfo da nossa expansão foi ter sabido aproveitar o momento.

Aqui abro um parêntese para um comentário crítico, que pode parecer ranhetice do livreiro. Mas não é, juro. Ter uma loja como a do Conjunto Nacional, que de um lado se abre para a rua e de outro, para um espaço interno de grande circulação, me coloca em contato direto com muita gente. Acabo notando algo que me preocupa: uma certa má educação das pessoas, confundindo público e privado a seu bel-prazer. Esse tipo de coisa é um problemaço no Brasil. Vejam só, sempre quis que as crianças se familiarizassem com o livro. Continuo querendo, cada dia mais. No entanto, noto com frequência que elas abordam as estantes sem cerimônia, manuseiam os livros sem cuidado, jogam os volumes onde bem entendem, andam sobre eles, chegam a rasgar páginas... e os pais não dizem nada! Clientes reclamam conosco quando veem esse tipo de cena, até porque ninguém quer comprar livro com defeito. Temos um prejuízo considerável com volumes danificados. Hoje precisamos manter uma equipe de "catadores de livros", pois muitas pessoas tiram volumes das estantes para largá-los em qualquer lugar, quando não os recolocam em prateleira errada, até de propósito. Dá para acreditar? Como somos altamente informatizados, nós nos sentimos na obrigação de dizer ao cliente que temos o livro que ele deseja, sim, mas não o encontramos naquele momento. Isso é uma questão de educação mesmo, de entender as regras de funcionamento do espaço público e do espaço privado. O que posso assegurar é que são raros os pais que trazem os filhos pequenos para a livraria ensinando-os a folhear com cuidado um livro e a devolvê-lo no local adequado. Em geral, esses pais são também leitores. Fecho parêntese do meu comentário crítico. Mas, prometo voltar ao tópico mais adiante.

Aprendemos muito sobre programação cultural na loja do Conjunto Nacional. Espaço imenso, aberto ao público todos os dias, numa região vital da cidade, precisava oferecer atrações além da compra dos nossos produtos. Isso estava muito claro para mim, tanto que previ a construção de um teatro de verdade, com todo o equipamento cenotécnico necessário para a montagem de peças, apresentações musicais ou espetáculos de dança. Isso foi pensado desde o início do projeto. Fizemos acontecer. Assim a Sala Eva Herz, nascida na loja do shopping Villa-Lobos, virou Teatro Eva Herz no Conjunto Nacional, com filiais em lojas de várias capitais brasileiras – Brasília, Salvador, Recife, Rio de Janeiro, Curitiba. Nenhum outro teatro brasileiro tem tantas filiais.

Com a construção do teatro na loja do Conjunto Nacional, era preciso planejar uma programação permanente, de alto nível, para ocupar o espaço. Como é que eu iria dar conta do recado, com tanto a fazer? Um belo dia, conheci o ator e diretor Dan Stulbach num almoço em homenagem ao John Herbert, também ator e cliente nosso, já falecido. Dan e eu batemos um longo papo nesse encontro, surgindo entre nós uma afinidade. Depois ele veio me visitar na livraria, quando acabamos descobrindo que a história das nossas famílias judias guardava muitos elementos em comum. E assim fomos nos aproximando cada vez mais. Um belo dia eu disse ao Dan: "Por que você não vem tomar conta da programação cultural do Teatro Eva Herz?". Ele topou. Sorte a nossa.

Dan passou a selecionar a programação do teatro, sempre com muita sensibilidade em relação ao público que frequenta a Cultura.

Foi assim que começamos a falar de uma montagem teatral em cartaz no Rio de Janeiro, chamada *A alma imoral*, texto de um livro do rabino carioca Nilton Bonder, adaptado para teatro pela atriz Clarice Niskier. Relatos sobre a peça me impressionaram; afinal, por que um rabino defenderia a imoralidade da alma? Logo Dan começou a negociar a vinda da peça para o Teatro Eva Herz – na verdade, um belíssimo monólogo que se desdobra até o ponto de abrir diálogos com a plateia, mexendo fundo com todos. Há dez anos em cartaz, *A alma imoral* tornou-se um dos maiores sucessos do teatro brasileiro. Interpretada de forma impecável por Clarice Niskier, a peça foi vista por milhares de pessoas e, só por mim, mais de vinte vezes. Não me canso de rever. Cada vez que vou a uma exibição surge uma nova descoberta, algo que para mim faz todo sentido naquele momento, por isso saio sempre tocado pela emoção do trabalho da Clarice e pela beleza do texto do Nilton. Hoje Clarice é uma querida amiga. E Nilton, que vejo menos, idem. Um rabino surfista, com o qual posso sair para tomar chope.

Dan Stulbach conseguiu montar uma programação diversificada, acessível e de qualidade, ajudando a fazer do Teatro Eva Herz um marco na vida cultural paulistana. Agora não está mais conosco. Com o passar dos anos, Dan assumiu mais compromissos como ator e diretor de teatro. Foi substituído pelo seu assistente no teatro, André Acioli. O programa de rádio do Dan, *Fim de expediente*, levado ao ar pela CBN, às vezes é transmitido ao vivo, aqui do teatro. É um *talk show* radiofônico bem dinâmico, no qual Dan e outros apresentadores conversam com convidados, num clima de muita descontração.

Outro programa da CBN foi durante bom tempo gravado no Eva Herz, fazendo história. Chamava-se *No divã do Gikovate*. Amigo de longa data, o psicanalista Flávio Gikovate se prontificava a responder perguntas que inquietavam as pessoas, com um misto de franqueza, precisão e sem medo de tocar em tabus. O curioso é que, quando começou a gravar conosco, anos atrás, Flávio respondia delicadas questões da plateia, muitas delas no campo da sexualidade, que invariavelmente começavam assim: "Dr. Flávio, um amigo meu...". Ou poderia ser "uma amiga", "minha tia", "meu primo", ou seja, nunca a situação trazida à tona se relacionava com quem, de fato, perguntava. Com o passar do tempo, as indagações começaram a assumir outra forma: "Dr. Flávio, quero contar uma história que aconteceu comigo...". Ou seja, depois de anos de interpretação psicanalítica em divã público, o que em si já é uma tremenda ousadia, notamos que as pessoas começaram a ter menos medo de se expor. Flávio faleceu em outubro de 2016. Perdi um amigo, um terapeuta, um exemplo de conduta ética. Quem o conheceu de perto sabe do que estou falando.

Agora, mudando de assunto para explicar a nossa programação mais pauleira. Num fim de ano gelado – em Boston, nos Estados Unidos –, fui levado pelo psicanalista Contardo Calligaris, meu grande amigo, a conhecer e vivenciar uma programação cultural chamada *First Night*. Ou seja, na primeira noite do ano novo, Boston literalmente fica aberta. Restaurantes, bares, igrejas, lojas, museus, galerias, tudo funciona com uma programação especial, a preço bem acessível – comprando um *bottom* no valor de dez dólares, tem-se acesso garantido a tudo. É só espetá-lo na roupa e sair curtindo. Até o transporte público adere – metrô e ônibus funcionam sem cobrar nada, catracas livres. O que eu vi, e me encantou, era como as pessoas circulavam, interagiam, celebravam o bom que está por vir, desfrutando a cidade. Sem ligarem para as marcas do termômetro, elas viravam a noite numa boa. Pensei: por que não fazer uma virada como essa na livraria do Conjunto Nacional, uma espécie de maratona artística que comece no sábado cedo e termine no domingo à noite? Voltei ao Brasil com essa ideia na cabeça, alimentei-a por algum tempo e, quando a nossa grande loja ficou pronta na avenida Paulista, tratei de implementá-la. Nasceu assim a primeira maratona Vira Cultura, que foi de fato precursora da Virada Cultural, organizada e promovida pela Prefeitura de São Paulo.

Os primeiros anos desse sem-parar cultural foram o máximo. Tivemos sessões de cinema lotadas às duas da manhã, no então Cine Livraria Cultura, também no Conjunto Nacional, conversas com autores, rodas de samba, peças de teatro, exibições de dança, contação de histórias e até um show à meia-noite, no Teatro Eva Herz, com o Lobão. Houve uma explosão de público para vê-lo. Estávamos hiperlotados. Naquele momento, fiquei preocupado com a segurança das pessoas. Que noite memorável! Hoje tivemos que encolher o Vira Cultura. Fazemos uma programação menor, mais modesta, pois precisamos encontrar patrocinadores, algo que anda escasso no país com a economia em crise. Quem sabe não *viramos* logo essa dificuldade e retomamos o nosso pique inicial?

16

Alguém pode me dizer para onde vai o varejo?

Iniciamos este ano tão difícil, 2017, exatamente com 17 lojas. Assim estávamos estruturados para comemorar os 70 anos da Livraria Cultura – mas tudo mudaria a partir do mês de julho, quando compramos a operação da FNAC no Brasil, tema que vou abordar nos próximos capítulos. Pensando ainda na expansão da empresa familiar, devo dizer que o nosso plano original, a partir dos anos 2000, era abrir 2 lojas por ano, aumentando a rede de livrarias de forma significativa. Evidentemente, tivemos que rever a meta. Vocês poderiam me perguntar: "Foi a crise, Pedro?". Ah, se fosse tão somente a crise em que nos metemos no Brasil... O buraco é mais embaixo. A verdade é que hoje nos deparamos com uma incógnita, não só em nosso país como no mundo, em relação ao futuro das transações comerciais. A pergunta básica a fazer é a seguinte: para onde vai o varejo? Você sabe, por acaso? Eu, sinceramente, não sei. Arrisco dizer que essa incerteza atinge todos os setores do comércio. Por exemplo, tenho a impressão de que o modelo megastore, ou seja, livrarias com 3 mil, 4 mil m², já não funciona tão bem. Assim como as lojas de departamentos já não funcionam tão bem, pelo que constatamos. Enfim, há uma grande mudança se desenhando e não sabemos ao certo para onde estamos sendo levados. Pensando ainda no meu setor, vejo redes de livrarias enfrentando grandes dificuldades porque se tornaram inviáveis economicamente.

Um caso exemplar é o da Barnes & Nobel, que chegou a ter mais de 1.200 lojas nos Estados Unidos, gastou fortunas para lançar um e-reader e um tablet, constituindo inclusive uma empresa de tecnologia só para isso, a Nook Media. E a conta final não fechou. A Barnes & Nobel precisou reduzir drasticamente o número de lojas físicas e ainda vem amargando prejuízos. Afinal, como encarar um concorrente como a Amazon, essa gigante do *e-commerce*, que não só conseguiu emplacar o seu e-reader, o Kindle, como tem a capacidade de jogar os preços dos seus múltiplos produtos lá embaixo, guiada por uma visão empresarial ultradinâmica que a faz se lançar em diferentes campos? Como encarar um *player* com esse fôlego? Hoje a Amazon entrega até comida quentinha nos Estados Unidos, no prazo de duas horas! Outra rede de varejo que naufragou nos últimos anos, no segmento livros & música, foi a Borders. Nascida em Michigan nos anos 1970, chegou a ter centenas de lojas pelos Estados Unidos, empregou milhares de pessoas, expandiu a rede para países como Austrália e Nova Zelândia, mas entrou em processo de falência em 2011. Coincidentemente, posições da Borders foram arrematadas pela Barnes & Nobel.

Eu falava do fôlego da Amazon, pois bem, aparentemente na contramão da história, essa empresa agora se volta para a abertura de uma rede de lojas físicas nos Estados Unidos. Enquanto uns fecham livrarias, a Amazon abre, vá entender... já estão funcionando em cidades da Califórnia, em Washington, Chicago, Nova York, e muitas outras devem vir por aí. A explicação dada pelo grupo é simples, ao mesmo tempo formidável: "*Amazon Books is a physical extension of amazon. com*". Temos aí a situação em que o *e-commerce* leva ao varejo convencional, e não o contrário. Acima de tudo, a tentativa da Amazon é derrubar de vez a fronteira entre transações *on-line* e *off-line*, incutir isso na cabeça do consumidor, ampliar seu *networking* e elevar ainda mais a eficiência logística que distingue a empresa.

Mas, vejam que curioso, há outro fenômeno acontecendo paralelamente: em certas cidades do mundo, livrarias com poucas filiais, ou mesmo sem nenhuma, têm conseguido crescer. Há um caso assim numa cidade da Califórnia, em que uma família atende os clientes na sua pequena loja, estabelecendo com eles um contato direto e atendimento diferenciado. Está dando muito certo, ao que parece. Há outros casos assim. Tenho prestado muita atenção nesse tipo de varejo, ou seja, nas *"independent bookstores"*, como se diz no setor. Elas podem agradar a um cliente que já não se entusiasma com os grandes espaços de compra e gosta mesmo é de bom atendimento. E o que dizer de uma livraria tradicional, dentro de um prédio histórico, como a portuguesa Lello, na cidade do Porto? Um sucesso. Lá as pessoas pegam senha e fazem fila na calçada para visitar um estabelecimento centenário, com prateleiras velhas, chão que range o tempo todo, sem ar-condicionado, entretanto, com uma linda escada de madeira no centro da loja, ligando o piso térreo ao andar superior. Vale a visita porque o espaço é bem bonito. E se, além da visita, você comprar livros, o preço do bilhete de entrada é deduzido do valor da compra, o que parece justo. Ali não há crise, até porque a Lello virou atração turística da cidade do Porto e fatura com isso.

Hoje a primeira loja da nossa rede é a virtual, com faturamento superior ao da grande loja física no Conjunto Nacional. Cerca de 30% do nosso movimento vem das compras *on-line* e, francamente, isso não me espanta. A verdade é que ficou possível comprar tudo pela internet. Se você quiser montar um navio, e adquiri-lo por meio de um site, faz a transação com toda a segurança, sem sair de casa. Com livros não seria diferente – num próximo capítulo, pretendo me fixar na importância deste produto, o livro, no desenvolvimento do *e-commerce*. Continuando o raciocínio: penso que as lojas tenderão a ser, cada vez mais, *showrooms* de produtos. Locais de exposição de mercadorias. Você vai até a loja, vê as geladeiras disponíveis, abre as portas dos aparelhos, confere a capacidade, as divisões, o funcionamento, a economia de energia, depois anota o modelo que mais lhe interessa e volta para casa. Daí, sim, vai realizar a compra pela internet, buscando o melhor preço.

Isso tende a acontecer em todos os setores do comércio, ou melhor, já está acontecendo em muitos deles, tanto que os nossos shoppings centers não andam lá muito felizes. Às vezes penso que "ser grande" hoje, em termos físicos, pode não representar o fator diferencial que já representou no passado. Vejamos o que está acontecendo com os supermercados. Eles estão encolhendo, virando "*express*", pois oferecem um repertório básico de produtos que atende perfeitamente à sua clientela. Funcionam como uma loja de conveniência mais completa. Isso também vem ao encontro de mudanças de hábito dos consumidores: nem sempre querem encarar um hipermercado onde a seção de laticínios se encontra a léguas da seção de cereais, formam-se filas no caixa, o estacionamento fica longe de tudo, as vagas são ruins, paga-se por hora, tem a caixinha do carregador etc. Francamente, acho mais gostoso e cômodo comprar num ambiente compacto, onde encontramos o que precisamos – para isso é preciso que haja um bom mix de produtos, eis o segredo do negócio – sem ter que enfrentar um espaço gigantesco, com filas, elevadores, estacionamentos, catracas. Posso falar disso porque sou daqueles que curtem uma ida ao supermercado.

Indagações quanto ao futuro do varejo, ainda falando em livrarias, passam também pela aparição das novas mídias, que modificaram os produtos que costumávamos vender no nosso mix de mercadorias. Tomemos o caso dos livros eletrônicos. Nós nos preparamos para a era dos e-books, com todo aquele estardalhaço que se fez em torno do formato digital (e, claro, depois do fiasco que foram os CD-ROMS...). Fizemos em 2012 uma parceria com a Kobo, empresa de origem canadense comprada pela japonesa Rakuten, quando então passamos a oferecer o seu tablet com exclusividade no Brasil. Foi uma parceria importante, no momento adequado – Amazon, Google e Apple já estavam disputando o mercado de livros eletrônicos, tanto em conteúdo como em aparelhos de leitura, os e-readers. A Rakuten, bem menor que os três concorrentes, crescia também em conteúdo, já alcançando 2,5 milhões de títulos em seu catálogo digital. Fora isso, o seu tablet lia todos os e-readers, menos o da Amazon, que era protegido. Assim, firmamos uma parceria que nos pareceu oportuna. Vejo hoje que o livro digital não foi o *boom* que se apregoou e até parece entrar em declínio – de novo, as pitonisas que anunciaram, pela enésima vez, a morte do livro impresso tropeçaram no engano. Há outros exemplos de como as novas mídias alteraram produtos que imaginávamos ter vida longa – falarei disso a seguir. Contudo, cabe aqui a perguntinha básica: se ainda há motivos para acreditar no livro em formato tradicional, de papel, por que uma livraria deveria temer pelo seu futuro?

17
Outra revolução tecnológica bate à nossa porta

A verdade é que o futuro sempre preocupa. Não deveria ser assim porque, afinal de contas, não importa tanto saber *a priori* aonde vamos chegar, mas como poderemos nos deslocar. O caminho que trilhamos pode ser mais interessante do que a chegada. Pensando no futuro do meu negócio, noto que o problema maior não está nos livros, nem nos seus formatos, mas nos leitores. Estes estão mudando muito. Sabemos que a indústria do entretenimento se diversifica cada vez mais, a oferta de produtos culturais, idem, em compensação o trânsito nas grandes cidades só faz piorar consumindo a nossa fraca disponibilidade de tempo – afinal, trabalhamos, comemos, amamos, dormimos, pagamos contas e passamos horas conectados ao computador e ao celular. Só que o dia continua tendo as mesmas 24 horas desde que o mundo é mundo. Como dar conta de tudo nessa vida? Leitura é atividade solitária, concentrada, silenciosa. A que horas vamos ler? À noite, depois de um dia estafante? Depois de passar horas num congestionamento? Depois de responder a dezenas, talvez centenas, de e-mails ou mensagens pelo telefone? Depois de um dia inteiro plugado em sites ou tentando falar com *call centers*? Simplesmente não conseguimos. Vamos pifar antes. Hoje vendemos livros competindo com essa dispersão generalizada do mundo hiperconectado, fenômeno que está nos fazendo cada vez mais estressados e até doentes.

Não dá para discutir o futuro das livrarias sem considerar também os novos formatos para ouvir música e ver filme, que por sua vez determinaram novos comportamentos para os consumidores. Porque aí a mudança foi radical. Agora tudo é *downloading*, tudo é *streaming*. Portanto, você não precisa ter uma coleção de CDs ou DVDs para comparar o estilo de regência do Herbert von Karajan com o do Claudio Abbado. Você baixa o que deseja ouvir ou ver, e pronto. Até alguns anos atrás, as pessoas faziam esse tipo de comparação na nossa loja, na seção de música: ouviam diferentes gravações e depois escolhiam qual CD iriam levar para casa. Isso vai acabar mesmo! Mudança parecida acontece em relação aos DVDs. Como competir com uma Netflix em matéria de disponibilização de filmes em formato digital? Até ontem parecia impossível, não? Pois bem, a Netflix, que chegou como grande novidade, agora vai ter que encarar a Amazon, que por sua vez entrará forte na produção cinematográfica, competindo com a HBO, e tudo será facilmente acessível na internet. Então, meus amigos, voltando às minhas indagações como varejista, o que é que eu faço com os milhares de CDs e DVDs que temos em catálogo e no estoque? Não é uma boa pergunta? Como é que eu vou vender música nesses formatos se a maneira de acessar a música mudou? Os carros novos já não têm dispositivos para ouvir CDs!

Nesse ponto, gostaria de lhes dizer "sejam bem-vindos à era da 'Internet das Coisas'". Porque ela veio para ficar e mudar o nosso cotidiano. Existem, e se você ainda não tem, vai ter logo, aparelhos que, acionados de qualquer lugar, ligam as luzes e regulam a temperatura da sua casa antes que você chegue. Geladeiras que lhe dizem o que falta comprar e, mais do que isso, o que você deveria comprar de acordo com o seu perfil, pelo melhor preço. Televisões totalmente acionadas por comando de voz, que por sua vez estão conectadas ao seu banco, à sua corretora, às companhias aéreas que utiliza, à sua caixa de e-mail.

Pense em coisas mirabolantes e elas acontecerão no curto prazo, tenha certeza disso, e quando elas acontecerem já estarão obsoletas.

Comprei em Nova York, e não faz muito tempo, um aparelho menor do que uma embalagem pequena de queijo Catupiry. Paguei 40 dólares por essa caixinha de aspecto *high-tech*, que atende até por um nome. Em termos tecnológicos, trata-se de um *hands-free voice controlled device*, ou seja, um aparelho que reage ao meu comando de voz, sem que eu toque nele, e faz uma porção de tarefas. Digamos que a minha caixinha inteligente se chame Jane. Então, Jane, chame um táxi para mim. Jane, qual é a previsão do tempo hoje em... Cingapura? Jane, encomende lâmpadas para o apartamento. Jane, quero ouvir as sinfonias de Mahler. Querida Jane, me acorde amanhã às 8h. E por aí vai. Pois ela dá conta de tudo com uma eficiência incrível, não reclama de cansaço, não pede aumento e tenho a mais absoluta certeza de que muito em breve fará as minhas compras de mercado, sem que eu me preocupe com o que falta ou mesmo com o que eu gostaria de ter no armário. Jane será capaz de adivinhar os meus desejos. A "Internet das Coisas" é isso, um universo de hiperconexões entre objetos, serviços e pessoas. Creiam, nosso dia a dia vai mudar completamente, nosso comportamento pessoal, idem. Aliás, já deve ter mudado enquanto escrevo este livro.

Isso tudo terá um impacto enorme no comércio, sobretudo no varejo. E mais: a intensificação da comunicação *machine-to-machine* talvez coloque em xeque as lojas físicas, vamos ver. Afinal, até que ponto elas serão necessárias num futuro não muito distante do momento que vivemos? São indagações que me faço diariamente, sempre lembrando que tecnologia, minha gente, não é grande amiga de emprego. Isso também me chama a atenção, e me preocupa, ou seja, a progressiva substituição de mão de obra humana por robôs e sistemas operacionais de alta eficiência.

Portanto, a revolução tecnológica que hoje bate à nossa porta forçosamente nos pressiona a avaliar os negócios – e não só eu, milhares de empresários! No nosso caso, precisamos criar outros atrativos em nossas filiais e rever o mix de produtos. Eu ainda quero que os clientes passem o maior tempo possível em nossas lojas, mas, para isso, não posso lhes oferecer tecnologias obsoletas, nem produtos desinteressantes. Devo imperativamente atraí-los com coisas mais sedutoras ou mais apetitosas. Lojas físicas terão que repensar seu modelo, estou certo disso. Manter um catálogo de produtos com 9 milhões de itens, como acontece na Livraria Cultura atualmente, talvez não faça mais sentido. Para manter tudo isso, preciso sustentar também um centro de distribuição na Grande São Paulo, com 4,5 mil m² de área. Como é que eu posso reduzir custo com essa estrutura?

Quando refletimos sobre o futuro do varejo, outro desafio a levar em conta é a qualidade dos serviços, que despenca a olhos vistos no Brasil. A meu ver, há uma razão evidente para isso. O Brasil é um país que vai mal na escola, lamento, mas temos que reconhecer. E os efeitos desse declínio educacional se fazem sentir em todos os setores, inclusive no de serviços. Durante anos mantivemos um nível bastante elevado na seleção dos funcionários. Contratávamos gente preparada, que sabia conversar e de fato poderia auxiliar o cliente na escolha ou na busca de um livro. Eram pessoas que haviam tido uma formação mais sólida. Hoje, esse tipo de profissional tornou-se raro de encontrar. Em nossos testes de seleção, se perguntamos qual o autor do romance *Dom Casmurro,* uma parte dos candidatos pode ser eliminada, acreditem. Porque hoje a fonte de saber das pessoas é o Google, a pesquisa rápida, superficial, algo que não diz respeito a um processo de formação verdadeiro. E, por mais que possamos dar as ferramentas de atendimento aos nossos funcionários, muitos até com nível universitário, isso nem sempre vai suprir lacunas do conhecimento.

Por outro lado, admitimos que os clientes também mudaram bastante. Temos aqueles que são de fato leitores, que buscam bons livros e sabem o que querem. Esses clientes reclamam comigo de certa perda de qualidade no nosso atendimento. Queixam-se do barulho dos frequentadores da loja, que falam alto, pegam o livro da prateleira e jogam em qualquer parte. Reclamam de gays que vêm para a livraria namorar sem muita discrição, e daí o politicamente correto impede a manifestação dos incomodados. Enfim, ouço reclamações diversas e nem sempre tenho solução a dar. O fato é: o cliente que lê, quando encontra um vendedor que lê, invariavelmente sai mais satisfeito. Esse é o melhor dos mundos.

Acredito também que a perda de qualidade dos serviços no Brasil tem a ver com a disseminação dos *call centers*. Parece que foram feitos para ser irritantes, não para resolver problemas. Todos somos vítimas deles. Eu até já arrumei um jeito de me defender desses atendimentos. Quando me ligam de uma operadora, uma seguradora ou algo que o valha, sou o primeiro a dizer ao atendente: "Para a *minha* segurança, a partir de agora esta ligação será gravada". Sabe o que acontece? O atendente desliga!

E a fraude na internet? Nós, brasileiros, demoramos a aderir ao comércio eletrônico, muito pela solicitação dos dados do cartão de crédito. Nosso consumidor tinha medo de revelar esse tipo de informação, reagindo de modo mais conservador. Ou mais desconfiado. Só que o problema não está aí. Com tantas fraudes de internet sendo produzidas a todo instante, o golpe que o consumidor leva hoje já não será mais o de amanhã. É impressionante. Tal situação nos fez organizar na empresa um departamento de *business inteligence* (BI). Com ele procuramos monitorar toda a nossa movimentação, o que nos garante um ambiente de maior segurança. Além disso, esse monitoramento permite ter um conhecimento mais apurado sobre o nosso cliente – uma pessoa que, por comprar *on-line*, pode estar tanto no centro de São Paulo quanto numa cidade remota da Amazônia. Sempre digo: com internet e um CEP válido, a Livraria Cultura consegue chegar aonde jamais imaginamos!

Com as ferramentas de BI, consigo saber que os gaúchos não apenas leem bastante como são apreciadores de obras sobre agronegócio.

Os moradores de Brasília têm maior poder aquisitivo para gastar com livros e nutrem uma certa preferência por HQS. Campineiros gostam mais de livros sobre animais de estimação do que os curitibanos, que por sua vez empatam com o público de Fortaleza no interesse por jogos de tabuleiro. Assim identifico, de forma precisa, o que o cliente tem procurado, para onde ele olha e o que lhe está interessando no momento. Tudo isso nos é revelado por algoritmos. Hoje o profissional de BI se insere no coração das empresas e de governos. Porque milhões de indivíduos, nós, os consumidores da era digital, somos analisados o tempo todo, essa é a pura verdade. Basta carregar um celular no bolso, ou na bolsa, para não ter privacidade. A confidencialidade da vida foi para o espaço.

Equipe em
treinamento –
sempre.

18
Pioneirismo é bom, mas dá trabalho

Se, por um lado, vivemos às voltas com a perda de qualidade dos serviços, por outro, há empresas que revolucionam esse setor. Em Nova York, como já disse, a Amazon consegue entregar comida no prazo máximo de duas horas. Fora tudo o que ela distribui e entrega. Creio que a Amazon já nem se concentra tanto na guerra dos preços, que sabe fazer muito bem, mas no serviço imbatível que presta. Atua exemplarmente na intermediação entre quem quer comprar uma coisa e quem tem essa coisa para vender. Parece simples, no entanto, por trás disso tudo, existe um gênio chamado Jeff Bezos. Que visão ele teve anos atrás! Aqui lanço uma pergunta: alguém sabe por que ele começou a Amazon justamente como um site de venda de livros?

Simples. Bezos descobriu que, por atrás do leitor de livro, existe um consumidor com múltiplos interesses. Quem lê também compra sapato, xampu, pasta de dente, vinho, chocolate, sardinha em lata... mas quem come sardinha em lata ou adora chocolate não necessariamente lê. Ou seja, o inverso não é verdadeiro. Assim Bezos percebeu que, por meio do comprador de livro, ele passaria a ter acesso a informações de um vasto universo do consumo. Lanço outra pergunta: por que ele também se interessou por livros de terceiros? Porque esse tipo de mercadoria não ocupa espaço, não tem que ter estoque, nem depósito, o que simplifica tudo. A partir dessa inteligência em torno do livro, Bezos expandiu o seu negócio, criando a maior empresa de comércio eletrônico do mundo, hoje também a maior varejista do mercado internacional. O que ele quer, e isso já ficou totalmente claro, é dinamizar a intermediação financeira entre quem vende alguma coisa e quem deseja comprar alguma coisa, seja em produtos ou serviços. Dos livros Bezos partiu para uma diversificação incrível: CDs e DVDs, eletrônicos, games, cosméticos, roupas, artigos para bebê, produtos de limpeza, artigos esportivos, ferramentas, utensílios de jardinagem, produtos de mercearia, produtos na linha *gourmet*... enfim, cresceu, diversificou, acabou comprando outros sites de *e-commerce*, mas sem jamais perder o foco original. Incrível isso: cerca da 65% das compras de livros *on-line* no mundo são feitas via Amazon. Agora vejamos como essa gigante ficará com a recente abertura de uma rede de livrarias físicas pelos Estados Unidos.

O fato de a loja virtual da Livraria Cultura ser a maior em faturamento na nossa rede tem a ver também com a minha curiosidade pelo campo da inovação. Curiosidade antiga, devo admitir. No final dos anos 1980, comecei a ouvir falar de BBS, sigla para algo chamado *bulletin board system*. Era um sistema de comunicação entre terminais de computadores, por meio de discagem telefônica. O BBS surgira nos anos 1970 nos Estados Unidos, bem antes da expansão da web pelo mundo. As primeiras experiências com o sistema saíram da Universidade de Berkeley, Califórnia, mas em 1978, um funcionário da IBM americana, um sujeito chamado Ward Christensen, colocou-o para funcionar durante uma nevasca daquelas em Chicago. Via BBS, ele conectou muita gente em apuros, como se pode imaginar. Meses depois, Christensen conseguia patentear o objeto das suas pesquisas.

Pois bem, quando passei a me interessar por esse mundo tecnológico, nós costumávamos receber na livraria pedidos de empresas interessadas em formar as suas próprias bibliotecas. Ótimo como encomenda, claro, eu não tinha do que reclamar, mas era muita coisa para listar, providenciar e fornecer ao cliente, por isso tentei ver se havia um jeito mais ágil para atender aos pedidos corporativos. De início, comprei uma linha de telex, equipamento da marca Olivetti, caro como o diabo. Dessa forma eu me conectaria diretamente com as empresas-clientes, que tinham telex também. Organizávamos os longos pedidos de livros, e suas cotações, em listas que geravam fitas perfuradas, transmitidas por telex. Quem tiver mais idade deve se lembrar disso... enfim, eu estava operando o telex, mas já andava lendo sobre BBS. Por isso entrei em contato com Aleksandar Mandic, brasileiro de origem sérvia que trabalhava no departamento de automação e inovação da Siemens. Propus a ele começar a construir a nossa rede BBS. O sistema exigiria uma linha telefônica exclusiva e, naqueles tempos, isso era caríssimo também. Linhas telefônicas alcançavam um preço tão alto que as pessoas as compravam como forma de investimento.

Todo sábado, durante um bom tempo, eu me reunia com Mandic para tratar de tecnologia – primeiro BBS, depois internet. Com ele aprendi que eu deveria logo registrar o meu domínio na web, ser meu próprio provedor e fundamentalmente seguir em frente num caminho que me levaria (de fato, me levou) ao futuro. Claro, enfrentei dificuldades com meu pioneirismo: como não dava para ter apenas uma linha telefônica exclusiva para o sistema BBS, eu precisaria adquirir outra, e mais outra, e a conta já estava saindo alta demais. Fora isso, estava lidando com uma tecnologia ainda em aperfeiçoamento, portanto, sujeita a falhas. Aqui faço uma ressalva: anos depois, também não seria diferente com a internet, que chegou com muitas deficiências de programação a superar. Quando montamos o primeiro site da Cultura, se os nossos clientes, ao buscarem uma obra de Shakespeare, por exemplo, escrevessem o nome do autor com uma letra a mais ou a menos, o sistema já não lia e informava que não tínhamos o livro. Isso era uma encrenca. Hoje os programas reconhecem os erros, corrigem e prosseguem a troca de dados. Entretanto, naqueles dias, a internet era uma espécie de *patchwork*, uma colcha de retalhos que todo dia precisava ser remendada.

A verdade é que, ao menos para os padrões brasileiros, percebi cedo que toda aquela conversa de informatização faria bem ao negócio. Mas, insisto, não foi fácil. Eu me lembro de que, no início do processo, fizemos um programinha básico para as editoras, entregue na forma de um disquete, e pedíamos que elas colocassem seu catálogo ali. Eu só queria três informações: autor, título e preço. Com isso montaríamos o nosso catálogo digital, seguindo a lógica elementar: quanto mais livros cadastrados tivéssemos em nosso sistema, mais chance de vendê-los, e todos ganharíamos com isso. Vocês não imaginam a batalha que travei ao pedir tal coisa, porque nossas editoras eram 0% informatizadas! Hoje me divirto relembrando aqueles momentos pioneiros compartilhados com o Mandic – nossa vontade de desbravar um mundo novo terminou sendo uma experiência deliciosa para mim. Meu amigo logo criaria a Mandic BBS, que virou a Mandic Internet do Brasil, depois lançou o Mandic Magic, aplicativo de compartilhamento de senhas wi-fi públicas, e continua inovando. Sou muito grato a ele.

A revolução dos computadores trouxe mudanças em todas as áreas do comércio e, em nosso setor, obrigou livrarias e editoras a se organizarem melhor. Como começamos a importar muitos livros de informática naqueles tempos, e vendíamos muito também, uma das nossas empresas-clientes era justamente a IBM do Brasil. Conheci engenheiros de lá, nossos compradores de livros técnicos, e comentei com eles sobre meu desejo de informatizar a Livraria Cultura. "Vamos te ajudar nisso, Pedro", disseram eles. E ajudaram: com esses engenheiros implantei um sistema que agilizava a emissão do cupom fiscal, chamado PDV, e assim me livrei do bloquinho de papel para passar a nota ao cliente – o bloquinho tinha aquela folha de papel-carbono, para que pudéssemos gerar a nossa cópia da nota, que coisa pré-histórica! Então o PDV da Cultura chegou como uma novidade incrível, ninguém dispunha dessa tecnologia. Mas, de novo, paguei caro pelo pioneirismo. Pouco tempo depois, esse grupo de engenheiros deixou a IBM e eu fiquei na mão, no entanto já convencido de que o processo de TI avançava rapidamente e não poderíamos ficar fora desse baile.

Foi nesse momento que decidi trazer analistas de sistema para dentro da livraria, ou seja, progressivamente eu procurava nos estruturar para fazer a transição tecnológica que se anunciava. Os tempos heroicos continuaram: a cada duas horas surgia um novo problema de programação para resolver, num campo em que tudo estava por ser feito: "Este problema aqui, seu Pedro, consigo resolver em dois meses..." – era o que eu ouvia dos analistas de sistema. Como assim?! A essa altura tínhamos um site bem estruturado e o crescimento das vendas *on-line* avançava. Como aceitávamos encomendas e reservas por internet, logo tive que montar um departamento só com funcionários encarregados de localizar o livro solicitado. Tive também que desenvolver um sistema mais ágil e seguro de embalagens para remessa. Assim, dentro de um contexto de inovação, passei a me preocupar com todo o ciclo de operações que começa com um simples pedido e termina na entrega ao destinatário. Parafraseando Bill Clinton, *it's logistics, stupid*.

19
Da arte de ver e ser visto

Não sou um especialista em marketing, mas sempre me interessei pela área. Se tomarmos uma definição clássica, como sendo marketing o conjunto de ações voltadas para um determinado produto ou serviço, desde a sua concepção até a pós-venda, veremos que se trata de um campo de vastas possibilidades. Isso me atrai. Nesse campo de vastas possibilidades, sempre procurei colocar em prática ideias muito simples, que acabaram surtindo efeito acima do esperado. E por quê? Talvez porque nós, na Livraria Cultura, nascemos pequenos para o mundo dos negócios. Porque não tínhamos recursos para contratar agências e promover campanhas publicitárias. E mesmo quando esses recursos passaram a existir, preferimos continuar bolando "em casa" um marketing mais afinado com o nosso público e a nossa maneira de ser.

Relembro uma passagem. Em 1975, percebi que se formava uma expectativa positiva em relação à chegada do *Novo dicionário da língua portuguesa*, que seria lançado pela Nova Fronteira, editora da família do ex-governador do Rio Carlos Lacerda (1914-1977). Organizado pelo lexicógrafo, filólogo, tradutor e crítico literário Aurélio Buarque de Holanda (1910-1989), o dicionário nasceu com a aura de uma obra que romperia as amarras da nossa dependência linguística em relação a Portugal. Ou seja, uma obra que valorizaria o português falado no Brasil, tratando-o como uma língua com vida própria. Pressenti o sucesso editorial antes de o "Aurélio", um tijolaço de 2.272 páginas em papel-bíblia, sair do prelo: comprei 5 mil exemplares da primeira edição. Disseram que eu iria quebrar com a compra, afinal, era tanto dicionário que eu não teria nem como estocar. E não tive mesmo. Fiz a encomenda, mas precisei pedir ao editor que guardasse os milhares de volumes para mim. Eu pegaria pequenas quantidades para suprir o nosso estoque na loja, à medida que os fosse vendendo.

Lançado aquele novíssimo "pai dos burros", confirmou-se o que eu previra. O primeiro nome do dicionarista logo cairia na boca do povo para se transformar num personagem familiar – "Vai lá, procura no Aurélio" ou "Já perguntou pro Aurélio?", "Ah, coitado do Aurélio" –, era um fenômeno inusitado no Brasil. Mas o fato é que eu tinha que vender 5 mil exemplares, a 100 cruzeiros cada, o que não era pouco, portanto, de modo algum poderia ficar com aquela carga pesada que havia me custado os olhos da cara. E dinheiro para investir em publicidade e alavancar as vendas? Não havia. O que fazer para contar ao mundo que tínhamos não algumas pilhas, mas uma montanha de dicionários aguardando interessados? Coloquei a cabeça para funcionar, quando me veio a ideia de uma campanha completamente intuitiva e de baixíssimo custo: comprei espaços de publicidade nos jornais, os menores que poderiam ser comercializados – tamanho 1 cm x 1 cm. Imagine, um espaço ínfimo para colocar os seguintes dizeres: "Você sabe o que é idiotálamo? Veja no *Novo dicionário da língua portuguesa*, na Livraria Cultura". Eu apenas precisava mudar o vocábulo difícil ou desconhecido a cada microanúncio publicado. Isso foi gerando curiosidade e uma simpatia pela obra que nos libertaria dos puristas da língua. Para resumir: o *Aurélio* foi um tremendo sucesso editorial. Entre 1975 e 1987, vendeu mais de 1 milhão de exemplares e, quando faltou nas livrarias, pude atender o público com o meu estoque. As pessoas sabiam que só iriam encontrar o *Aurélio* na Cultura. Que associação perfeita!

Meus microtijolinhos de anúncios, me perdoem a redundância, funcionaram magnificamente. Poucas vezes nos setenta anos de livraria voltei a recorrer aos formatos tradicionais de publicidade. E, quando o fiz, foi com objetivo pontual. Por exemplo, ao inaugurar a nossa loja no Bourbon Shopping Country de Porto Alegre, que é uma cidade com bom nível cultural e um público leitor exigente, senti que precisaríamos de alguma forma contar que somos uma livraria com qualidade e tradição. Estávamos iniciando nossa expansão pelo país, ou seja, nossa imagem ainda era muito paulistana. Tive então a ideia de comprar espaço em alguns *outdoors* da capital gaúcha e, neles, pedi que escrevessem apenas isto: "Quem lê vai lá. Livraria Cultura, Bourbon Shopping Country". Resolvido o nosso plano de marketing, mensagem enviada ao público com sucesso. Então, eu pergunto: para que complicar, se a simplicidade pode dar conta do recado?

Acredito que o marketing sozinho não faz nem o milagre nem o santo. É preciso bolar todo um rol de ações, em diferentes canais, para que a marca e a empresa alcancem a visibilidade desejada: no nosso caso, isso incluiu a programação cultural nos auditórios e teatros, noites de autógrafos, publicações, pontos de café e tudo o mais que conseguimos bolar para manter um diálogo permanente com o nosso público. Lá atrás, quando livraria no Brasil era apenas a loja onde se comprava livro, comecei a me inquietar: como é que eu converso com o meu público, com o leitor dos livros que vendo? Como é que eu conto para ele sobre o que estamos fazendo ou querendo fazer? Ainda nos anos 1980, troquei ideias sobre isso com um amigo, o publicitário Plínio Cabral (1926-2011). Minha vontade era publicar um pequeno informativo de distribuição gratuita aos clientes, que de fato existiu e se chamou *Cultura Impressa*. Foi produzido na base de uma ação entre amigos. Falávamos nesse boletim do mundo editorial, de lançamentos, autores, eventos, tudo numa só lâmina de papel dobrada, resultando quatro pequenas páginas. Plínio desenhava e editava esse fôlder, meu amigo Raul Wassermann, fundador do Grupo Summus, imprimia em sua gráfica, e eu retribuía a gentileza com anúncios da sua editora no próprio *Cultura Impressa*. Ah, esqueci de dizer: era uma publicação mais ou menos mensal.

Durou um ano, tempo suficiente para que eu me preparasse para um salto maior: a *newsletter Cultura News*, publicada e distribuída gratuitamente de 1992 a 2007, ou seja, durante quinze anos. Uma década e meia em que a nossa clientela se habituou a receber, ou pegar na loja, um informativo cultural bem-feito, sem desembolsar nada. Editada na maior parte desse tempo pela jornalista Lays Sayon Saade, nossa *newsletter* foi ganhando corpo, qualidade e ousadia. Em 2007, quando inauguramos a grande loja do Conjunto Nacional, decidi que uma das nossas ações de marketing seria lançar a *Revista da Cultura*, substituindo a *Cultura News*. Novo salto. Seria uma publicação mensal, colorida, com papel de qualidade e distribuição gratuita, sempre. Editada pelo jornalista Gustavo Ranieri, a *Revista da Cultura* causou impacto no seu lançamento, foi se aperfeiçoando com o tempo e mesmo agora somos os únicos no nosso meio a manter um veículo impresso especializado em cultura, veículo que inclusive pauta a imprensa. Digo isso porque estamos vendo as publicações culturais sendo "encolhidas" ou simplesmente fechadas, o que é uma lástima. Mas tento ir na contramão. Minha vontade foi sempre a de lutar pela permanência do título. Durante um bom tempo conseguimos mandar a *Revista da Cultura* gratuitamente para a casa dos nossos clientes, via correio. Só que, a partir de um dado momento, o custo da postagem se tornou inviável, o que nos limitaria à distribuição nas lojas. Tempos bicudos se seguiram, outra mudança: a revista precisou passar de mensal a bimestral, ainda que mantivéssemos a tiragem de 25 mil exemplares e a distribuição gratuita nas lojas. No final do ano passado, contudo, tomamos a decisão de voltar às edições mensais. Mesmo atravessando uma fase mais difícil no país, ou talvez até por isso, acreditamos que a nossa publicação não é só um belo instrumento de marketing, mas sobretudo uma fonte de informação para milhares de brasileiros. Vale investir.

Cultura Impressa, Cultura News, Revista da Cultura, basicamente sempre banquei essas publicações do meu bolso. Porque acredito no contato direto com os clientes. São essas pessoas amigas que me ensinam o que devo ou não fazer, não só em termos de marketing. Devo também admitir que nunca tive problemas com a visibilidade da nossa marca. Acho que ela aparece até demais, tanto que fomos plagiados pelo Brasil afora. Isso mesmo, falsas livrarias Cultura apareceram em cidades brasileiras, daí tivemos que dar mais trabalho aos nossos advogados.

Posso adivinhar uma pergunta que vocês me fariam: publicações dirigidas são suficientes para divulgar o livro, esse que ainda é o principal produto de todo o mercado editorial? Bem, meus amigos, voltemos ao país que vai mal na escola... não, não são suficientes. Há outros fatores a colocar na balança. Por desinformação, muitos dizem que o livro vende pouco no Brasil porque é caro. Não concordo. O livro não vende bem no Brasil porque a cada dia que passa este é um país com menos leitores. Não me cansarei de repetir isso. Vende-se livro até barato no Brasil, uma vez que papel é *commodity*, cujo preço se forma no mercado internacional, regulando de certa forma o valor final do produto. Livro caro é a justificativa de que muitos se valem para não comprar. E não ler, o que é péssimo. Quando um cliente chega para mim, com uma pilha de livros comprados, dizendo: "Pedro, deixei agora uma fortuna na sua livraria!", eu imediatamente respondo: "Que ótimo, melhor do que gastar com médico". Claro, precisamos que as pessoas tenham mais acesso ao que está sendo produzido editorialmente, como também devemos admitir que as editoras anunciam cada vez menos e os cadernos literários dos nossos jornais estão desaparecendo. Sabem por quê? Porque se tornaram densos e lentos no mundo da efemeridade da informação. Duro dizer isso, mas, atualmente, comunica-se muito melhor o lançamento de um livro pelas redes sociais do que por uma abalizada crítica no jornal. Muito embora eu acredite que a informação que fica, de verdade, é a impressa. O resto passa rápido.

20
Da arte de se convidar sem ser chamado

Quer ver uma moda que ainda não passou no Brasil? Noite de autógrafos. Já entrou em declínio em boa parte do mundo, tanto que cada vez mais esse tipo de contato do autor com o público acontece em festas e encontros literários, não necessariamente em livrarias. Aqui, noite de autógrafos agrada. Como temos lojas em diferentes cidades brasileiras, notamos que ela muitas vezes funciona como evento social. Um momento festivo. E, dependendo do caso, uma ocasião elegante. No entanto, mesmo a mais concorrida noite de autógrafos não serve como termômetro para que se diga se uma obra vai vender bem ou não. Há mistérios insondáveis na relação entre lançamento e venda do livro. Por exemplo, eu me lembro de um autor carioca que há muitos anos lançou conosco, em São Paulo, um livro sobre as árvores e suas madeiras. Lançou, mas não autografou, porque simplesmente não apareceu ninguém na noite de autógrafos! Eu entrei em pânico. O autor veio do Rio com a mulher e a filha e ficou esperando que surgisse um mísero leitor. Tentei contornar a situação, passei a noite conversando com ele, procurando desanuviar o clima, mas o fato é que o evento simplesmente não aconteceu. No dia seguinte, em compensação, recebemos na loja dezenas de pessoas querendo comprar o bendito livro. Houve quem pedisse trinta, quarenta exemplares. Como entender? Notei que os clientes chegavam com um pequeno recorte de jornal que falava do livro e queriam comprar mais de um. No entanto, a noite de autógrafos foi dramática.

Eu me lembro também de quando o médico e cirurgião plástico Ivo Pitanguy (1926-2016) me deu a honra de lançar um livro autobiográfico. Achamos que a noite seria um sucesso de público, dado o interesse da imprensa pelo autor. Estranhamente, não apareceu ninguém. Ficamos, como se diz por aí, tentando fazer sala para o nosso convidado, que estava visivelmente decepcionado. Depois, arriscamos uma explicação: na época do lançamento, há mais de trinta anos, as pessoas ainda tinham pudor em admitir publicamente que haviam feito plástica. Ainda que fosse com o bisturi mágico do dr. Pitanguy, que fez fama mundial como criador dos lindos narizes de Gina Lollobrigida, Sophia Loren e Candice Bergen, entre outras musas (sem falar, claro, na competência do nosso grande médico na recuperação de queimados). Ou seja, a clientela do Pitanguy, que imaginei vir em peso ao seu lançamento, literalmente não mostrou a cara.

Já em lançamentos de políticos influentes, a noite de autógrafos fervilha. Há que se contar com o cordão dos puxa-sacos – estes, por vezes, mais numerosos do que os leitores interessados na obra. A bajulação, nesse caso, torna-se um componente da ocasião. Não posso me esquecer de uma organização de alta eficiência nesse tipo de lançamento, popularmente conhecida como "Os Penetras". São mulheres e homens de meia-idade, presumivelmente sub ou desempregados, que vivem de aparecer, comer e beber em eventos públicos. Podemos chamá-los simplesmente de "bicões". Pois bem, tem bicão que se especializa em lançamento de livro de político. Ele chega sem ser convidado, não conhece ninguém, mas come, bebe e circula na alta-roda. Há um bicão já bem conhecido na praça, um tipo baixinho, meio careca, sempre de terno e gravata, que aparece no lançamento até com fotógrafo próprio, acreditem! Jamais compra o livro, mas entra na fila do autógrafo, faz pose ao lado do político, tira foto com ele e depois certamente sai dizendo por aí que são amigos do peito. Já o reconheço de longe por tê-lo visto atuar, sempre com grande desenvoltura, em inaugurações, *vernissages,* pré-estreias. Um tipo versátil, com interesses variados.

Na maioria dos casos, bicões preferem atuar em rede. Trocam antecipadamente informações sobre o evento, avaliam as possibilidades de infiltração e então... atacam. Literalmente. Atacam em especial a bandeja dos salgadinhos. Uma ocasião eu estava andando pela livraria quando um tipo desses entrou e, certamente não me reconhecendo, chegou bem perto de mim para me perguntar ao ouvido: "E aí? Hoje não tem lançamento por aqui?". Não é que o cara estava me tomando por um membro da organização?! Respirei fundo e respondi: "Tem lançamento, sim. Mas, hoje, só com água. Porque o autor não bebe e detesta empadinha". O bicão fez cálculos em silêncio e decidiu ir embora. Não valia a pena "trabalhar" ali naquela noite.

Tem também bicão que age solitário. São mais raros, mas existem. Identifiquei um que se dizia médico, não falava com ninguém na loja e só levava os pãezinhos do coquetel de lançamento. Ele enchia uma pasta de couro com pães! Eu ficava me perguntando se ele levaria aquilo para alguém em necessidade... perdi o sujeito de vista. Outro, em franca atividade, costuma chegar cedo a uma das nossas lojas de shopping. Tira uma pilha de livros das estantes, lê por horas e horas, depois dorme copiosamente estatelado na poltrona. Daí acorda, toma água, vai ao banheiro e fica esperando o início do coquetel programado para o dia. Só vai embora bem tarde da noite. Já me disseram que é um publicitário falido. Talvez seja até morador de rua, afinal, não tem nos visitado com roupas muito limpas. Por falar em morador de rua, na loja da avenida Paulista notamos que alguns deles frequentavam nossos banheiros para tomar, digamos, banhos de gato usando pias e torneiras. Depois, secavam-se com fardos de toalhas de papel. Resultado: substituímos os papéis por secadores automáticos.

21
Sorria, Pedro, você está sendo filmado

Sempre achei que parte dos problemas que a indústria editorial brasileira enfrenta decorre do fato de ela própria não saber se apresentar. Ou então, usando outras palavras para dizer o mesmo, provém da sua tendência a se comportar de modo acanhado. Vejo a agilidade com que as editoras estrangeiras trabalham, os esforços que empreendem para atrair público, criando brindes, inventando promoções ou programando eventos. Elas pensam grande e ousam. Tem livro que justifica o investimento de uma página publicitária inteira no *The New York Times*, bancada pela editora, o que não sai barato. Aqui, ao contrário, as editoras pouco inovam em termos de marketing e dificilmente anunciam na grande mídia. Já os veículos da imprensa, por sua vez, não dão a devida importância aos lançamentos. E a teia de informação nas redes sociais, em torno de um livro novo, se desfaz rapidamente.

Foi pensando nesse panorama que me deixei seduzir por uma ideia um tanto quanto incomum: por que não estrear na TV como apresentador, ainda que com mais de 70 anos, para tratar especificamente dos diferentes aspectos que envolvem o mundo editorial? Eu me coloquei a pergunta e vi que a única resposta possível era "vai, tenta, Pedro". Assim, em maio de 2014, nasceu o *ComTexto*, programa de entrevistas que apresentei por certo tempo no Arte 1, um canal a cabo do Grupo Bandeirantes de Comunicação. O programa ficou no ar por dois anos, precisamente. A cada semana convidei uma personalidade ligada a alguma das etapas da "fabricação" de um livro – e são muitas, sabemos bem: vai do autor ao distribuidor, passando pelo agente literário, editor, tradutor, paginador, revisor, ilustrador, advogado especialista em direitos autorais, entre outras. São inúmeras as pessoas envolvidas na edição e comercialização de um livro, embora esse processo nem sempre seja claro para o público leitor. Até por isso, e justamente por conhecer a indústria do livro, percebi que poderia ajudar o nosso mercado editorial a sair desse anonimato autoimposto.

E assim foi. Combinei com a emissora que as entrevistas com meus convidados seriam gravadas na loja da Livraria Cultura do Shopping Iguatemi, na capital paulistana. É um espaço bonito, agradável e, de quebra, possibilitava que os participantes do programa fossem recebidos em nossa própria "casa". Não era um estúdio frio, mas a nossa livraria. Assim como não era uma entrevista técnica, nem jornalística, mas uma conversa entre amigos. Isso tudo me levou a bolar outro diferencial para o programa: no *ComTexto* eu poderia encaminhar perguntas simples e diretas, que normalmente não são feitas, sei lá por qual razão. Por exemplo, poderia perguntar a escritores como Bernardo Carvalho ou Benjamin Moser se, de alguma forma, eles se preocupam com quem vai ler seus livros. Em outras palavras, se pensam no leitor enquanto escrevem. Em geral, a resposta dos escritores é "não". Ou seja, nossos autores escrevem para si mesmos e não para quem os lê. Curioso... se é assim, então não me venham reclamar que vendem mal porque o livro não está exposto na vitrine da livraria, certo? Vendem menos, talvez, porque se esquecem do leitor – isso é o que acontece em muitos casos. Também pude perguntar a Luiz Schwarcz por que decidiu fundar uma editora, a Companhia das Letras, hoje uma empresa internacional, quando poderia ter se decidido a fazer outra coisa na vida. Ou pedir que ele nos contasse o que faz com os livros cujos direitos comprou, mas nunca editou. Daí o público fica sabendo que um editor vitorioso como o Luiz, que construiu um catálogo editorial de primeira, ainda assim tem um estoque de obras inéditas que demoraria anos e anos para ser editado. Em outra oportunidade, agora me lembro, pude perguntar à agente literária Lucia Riff o que deveríamos saber, e ela poderia nos contar, sobre uma negociação disputada de direitos autorais. Há histórias saborosas, vocês bem podem imaginar.

Aos poucos essas entrevistas semanais foram ganhando corpo e se convertendo num precioso material sobre a indústria do livro no Brasil – peço licença para não relacionar aqui a longa lista de entrevistados do programa, o que seria enfadonho, mas tenho absoluta certeza da alta qualidade profissional de cada um deles. Foram ótimas conversas. Pois bem, meus produtores na TV diziam que a audiência do canal Arte 1 é de 19 milhões de assinantes, algo expressivo, sem dúvida, mas, desses, quantos de fato assistiram ao programa de entrevistas *ComTexto*, com o Pedro Herz? Realmente, eu não tinha acesso a esses dados. Calculei que fosse uma pequena parte dessa audiência, mas, verdade seja dita, desde a estreia do programa, notei que as pessoas comentavam as entrevistas, me procuravam e até me reconheciam na rua. Confesso que me sinto feliz em tais oportunidades; afinal de contas, elas me permitem um contato mais direto com o consumidor de livros, o meu cliente.

Com disciplina germânica, essa minha velha amiga, fui me adequando ao mundo da televisão, ou melhor, do audiovisual: dedicava um tempo para a escolha do entrevistado, pesquisava sobre ele, pensava em como ajustar melhor minhas perguntas, enfim, me preparava até espiritualmente para o encontro. Só ficava perdido quando os produtores não me informavam logo as datas de gravação. Para mim não existe "mais ou menos" terça-feira. Ou é, ou não é. De todo modo, os dois anos do *ComTexto* me fizeram ver que eu precisava, de alguma forma, aprofundar a experiência televisiva e ampliar o meu público: por que não ter um canal exclusivo da livraria no YouTube?

Essa ideia resolveu todas as minhas inquietações (claro, iniciando outras, é sempre assim). Primeiro, porque o YouTube passou a informar claramente o público atingido, a cada conteúdo publicado. Uma prosa de 20 minutos com o filósofo e escritor Luiz Felipe Pondé, por exemplo, foi assistida por 12 mil pessoas! E isso não é estimativa, é dado matemático. Segundo, porque eu passaria a deixar todos os programas disponíveis na internet – coisa que eu não consegui no Arte 1, apesar da minha insistência. Assim, as pessoas assistem ao episódio quando podem e querem. E, terceiro, porque o conteúdo para alimentar um canal digital é ilimitado. No caso específico, não precisa ser apenas a entrevista que o Pedro fez, mas pode ser, por exemplo, a palestra de lançamento de um autor na nossa livraria. Ou um pequeno testemunho recolhido em uma das nossas lojas, pelo Brasil. Pode ser também a performance de algum artista, e sempre usando recursos tecnológicos básicos para fazer tais registros – um par de câmeras, algumas luzes, até mesmo um celular. O importante é não perder a chance que se apresenta diante de nós, de forma inesperada.

Vou contar um caso que me marcou muito e me fez pensar nessa direção. Anos atrás, não sei por que razão nem como, o poeta Haroldo de Campos e o compositor Caetano Veloso se encontraram na nossa loja da avenida Paulista, num sábado depois do almoço. Parece que foi um encontro casual – eu não estava lá, fiquei sabendo depois. Daí os dois resolveram passar a tarde inteira sentados nas cadeirinhas que ficavam do lado de fora da loja, lendo poesia em voz alta, um para o outro e para os felizardos que por lá passavam. E ninguém registrou isso! Vejam que oportunidade perdida, que documento histórico extraviado e irrecuperável! É só um exemplo para demonstrar que precisamos rapidamente nos adaptar às novas mídias. Os canais de divulgação do livro, produto final de uma indústria com toda uma cadeia de agentes, têm que estar afinados ao ritmo e à forma que se processa, e se espalha, a informação em nossos dias. De minha parte, não tenho mais tempo nem disposição para ficar parado no saudosismo. Eu me alistei na geração dos *youtubers*, e vamos em frente.

22
As dores do parto sucessório: viver é passar

A vida é uma sequência de sucessões. Nascer, crescer, procriar, envelhecer, tudo se encadeia em sucessões que também poderíamos chamar de passagens. No fundo, viver é passar e deixar passar. Penso nisso até porque durante muito tempo fui incapaz de separar minha própria trajetória do dia a dia dessa empresa familiar. Acabei aprendendo disciplinadamente que vida pessoal é uma coisa, negócio, outra. Mesmo assim, é inegável que há uma grande afetividade envolvida em tudo o que faço. Daí me colocar perguntas: por quanto tempo a Livraria Cultura existirá? Por quantos anos mais estarei todos os dias aqui, sentado neste escritório ou andando pelas lojas, como sempre fiz? Até quando os filhos, meus sucessores, estarão envolvidos no negócio? Não tenho respostas precisas. Somos uma sociedade anônima de capital fechado. Temos um CEO, meu filho Sergio, e executivos responsáveis por diferentes áreas: financeira, comercial, tecnológica, recursos humanos. Montamos uma estrutura enxuta para comandar 1.500 funcionários, 17 lojas pelo país, escritórios, centro de distribuição. Um núcleo duro para traçar as diretrizes de uma empresa com faturamento anual importante – e, até agora, funcionou muito bem. Mas, como iniciamos recentemente a expansão e diversificação das nossas operações, seguramente essa estrutura terá que ser revista. Hora de questionamentos profundos.

Anos atrás, depois de refletir muito, decidi que a empresa deveria ter um limite de tempo para ser familiar. Achei, e foi "achismo" mesmo, que, a partir de um determinado tamanho, deveríamos seguir no sentido da profissionalização da Livraria Cultura, adequando o negócio no que fosse necessário para alcançar tal patamar. Essa decisão trazia consigo uma nova maneira de pensar. Precisaríamos de um diretor de TI? Sim, então vamos procurar no mercado um ótimo profissional da área. Queremos um diretor de RH? Perfeito, comecemos a selecionar um craque. E assim por diante. Estabeleci que esse processo deveria estar totalmente consumado na terceira geração dos Herz, ou seja, meus sete netos não poderão integrar o quadro de funcionários da empresa. Isso foi combinado com meus filhos, que concordaram comigo. Fiz esse movimento por acreditar que precisamos dar passagem a quem nos suceda, e não ficar acreditando em negócios que se perpetuem por direitos hereditários, como se fossem capitanias. Isso não é bom.

Curioso refletir sobre esse tema hoje, a partir de uma empresa que nasceu tão discreta, na residência de uma família, e se expandiu de forma mais do que satisfatória ao longo de setenta anos. A verdade é que, no momento em que minha mãe me chamou para trabalhar a seu lado, em 1969, quando tínhamos uma loja apenas, ela de certa forma já desenhava a sucessão. Eva e Kurt Herz criaram dois filhos – primeiro eu e depois meu irmão Joaquim, que nasceu três anos e três dias depois de mim. Ambos crescemos sob o mesmo teto, recebemos o mesmo carinho e tivemos as mesmas condições de formação; contudo, desenvolvemos personalidades distintas. Mas, oportunidades semelhantes foram dadas aos dois: se eu fui mandado para a Europa com a recomendação de "ver o mundo", como queria minha mãe, Joaquim foi mandado para os Estados Unidos, com a mesma orientação. Tivemos chances muito parecidas. Anos mais tarde, quando Joaquim resolveu voltar a morar em São Paulo e trabalhar na livraria, onde eu já havia construído o meu lugar ao lado da minha mãe, claro que as brigas entre nós apareceram: éramos bem diferentes. Então, por que insistir em ficar juntos, aprofundando conflitos entre irmãos? Decidimos nos separar. Como já relembrei aqui, Joaquim foi tocar sozinho uma livraria que fora nossa, no bairro de Perdizes, e eu fiquei com a loja da avenida Paulista. Histórias familiares abrigam separações incontornáveis, sabemos disso. E quando a família em questão é pequena, como a minha, separações tornam-se ainda mais doloridas.

Essas experiências vividas me fizeram refletir sobre a sucessão aqui na empresa, para que ela transcorra com antecipação, planejamento, visão de futuro e, claro, tato suficiente para não abrir feridas incuráveis. Como já disse, a vida é feita de sucessões – quando você nasce, casa, quando o filho sai de casa, a filha lhe dá um neto... Nos negócios é rigorosamente a mesma coisa. Por acreditar nessa fluidez do destino, entendo que a sucessão deve ser vista como algo que começa quando se *entra* no negócio, e não quando se *sai* dele. Portanto, e daí falo exclusivamente por mim, sempre procurei me reeducar na posição de comando, me adaptar a condições e exigências que se impõem a todo momento e jamais chamar de volta para mim funções que já deleguei. Jamais mesmo! Ao fazer dos meus filhos sócios e sucessores, passei para eles uma série de responsabilidades, anos atrás. Não deveria, em hipótese alguma, retomar o poder de decisão que lhes transferi. Assim como eles não devem fazer o mesmo em relação aos seus comandados. Se tivesse que pedir de volta atribuições transferidas aos filhos, teria que os demitir, certo? Não gostaria de fazer isso, pois retomar tais atribuições seria, antes de mais nada, uma falta grave minha. Além de um retrocesso pessoal – ter que voltar a fazer aquilo que já fiz.

Evidentemente, há momentos de choque entre nós, pai e filhos, na empresa. Discutimos muito, discordamos, brigamos, mas isso também aconteceu no passado entre minha mãe e mim – como quando cismei de comprar um cofre de ferro pesadão para o nosso escritório, com a intenção de guardar o dinheiro do dia de forma segura, ideia que ela não aprovou – minha mãe não temia roubos, bons tempos aqueles... – ou quando comprei um PABX para a livraria, equipamento que ela achava dispensável – talvez ela preferisse atender pessoalmente cada chamada telefônica. De qualquer modo, fiz o que achei que deveria ser feito e Eva deixou comigo a decisão final, ainda que ela nem sempre estivesse de acordo. Episódios que hoje são até divertidos, como esses que acabo de contar, já revelavam as tensões do processo evolutivo da empresa. São as dores do parto sucessório. E fazem parte do caminho. No ano passado, meu filho Fábio, o caçula, deixou de ser um executivo da Livraria Cultura. Continua sócio, porém, não trabalha mais conosco. Preferiu buscar novos caminhos profissionais. Pois isso também faz parte do caminho a vencer.

Além das dores do parto sucessório, há também as dores do processo de crescimento. Elas existem no plano empresarial, acreditem. Falo de dores que causam incômodos, às vezes até sofrimento, mas são absolutamente naturais e necessárias. Em 2009, com a economia girando forte no país, experimentávamos uma expansão animadora na Livraria Cultura. Chegamos a pensar em abertura de capital, ter ações negociadas em bolsa, enfim, queríamos ir além. Foi quando um consultor empresarial nos apresentou a uma gestora de recursos chamada NEO Investimentos. Começamos a conversar, conversar e... decidimos casar. A NEO atraiu um fundo interessado em investir na nossa empresa, que de fato aportou capital e posteriormente converteu as debêntures que possuía em ações. E foi assim que o Capital Mezanino, o fundo administrado pela NEO, comprou 25% da Livraria Cultura, ficando a família Herz com 75%. Essa operação mudou por completo nossa relação com os parceiros. Já não tratávamos com investidores, mas com acionistas, como nós mesmos. Outra conversa. E o que buscam acionistas? Buscávamos o lucro.

Assim começou toda uma revolução na empresa, um grande aprendizado para todos. Sempre lidei com muita paixão com os assuntos da Livraria Cultura, até descobrir com meus sócios que gostar do negócio é uma coisa boa; apaixonar-se por ele, algo perigoso. Essa foi a primeira grande lição que aprendi com o pessoal do fundo, assimilada à medida que as nossas reuniões de trabalho iam acontecendo. Reestruturamos a empresa sob um olhar mais realista: foi quando Sergio, meu filho mais velho, virou CEO, e eu fui eleito para a presidência do conselho de administração. Ambos passamos a desempenhar funções e papéis definidos. Nossos parceiros tinham muita informação de mercado, inclusive no plano global, e com eles evoluímos uma enormidade. Parêntese: eu havia tido anteriormente uma única experiência com consultoria empresarial. Peguei alergia a todas do gênero e não acredito que possam entender de qualquer tipo de negócio, de apiário a indústria bélica. Contudo, ter um parceiro-sócio é algo totalmente distinto. Significa vestir a mesma camisa, faça chuva ou faça sol.

Só que o Brasil começou a declinar fortemente em termos econômicos em meados de 2014. Fechou o tempo, para ficar na metáfora climática. Pois bem, foi providencial ter os parceiros ao nosso lado naquele momento. Começamos a analisar juntos as tendências negativas que se formavam no mercado; afinal, na crise que se avizinhava, quais seriam os modelos de negócio de fato sustentáveis? Os executivos do fundo conseguiram nos mostrar que justamente em momentos de fragilidade econômica é fundamental dar atenção às coisas pequenas, ou seja, poderíamos economizar aqui e ali, otimizar recursos aqui e ali, realocar aqui e ali. O pequeno nunca é desprezível! Em resumo, à medida que o cenário geral ia piorando, desenhávamos mudanças não só interessantes, mas úteis para a empresa.

Em janeiro do ano passado, o Capital Mezanino anunciou que iria se desfazer, o que o levaria a deixar a nossa sociedade; contudo, a parceria já se revelara altamente produtiva. Fizemos as contas e decidimos recomprar as ações vendidas, fazendo com que a família Herz voltasse a ser dona de 100% da Livraria Cultura. Esse movimento foi muito bom, talvez a maior prova de que acreditamos na empresa que construímos e gostamos muito dela. Mas, de novo, sem paixão. Sem apego irracional. Recompramos as ações e nos mantivemos sintonizados aos movimentos da economia, tanto no país quanto no mundo, sem descartar a possibilidade de vir a ter outros parceiros no futuro. Para isso, é preciso trabalhar cada dia mais e melhor, com as pessoas certas.

Essa sintonia com o momento econômico acabou nos trazendo oportunidades interessantes. Concordo com o economista brasileiro José Alexandre Scheinkman, professor de duas grandes universidades americanas, Columbia e Princeton, quando ele diz que não se deve jamais desprezar uma boa crise. Foi justamente o que decidimos fazer ao comprar a FNAC no Brasil, em julho de 2017. Vale contar a história tal como se passou: em 2012, Sergio provocou uma conversa de executivos com Jacques Brault, diretor-geral da FNAC-Brasil. Havíamos fechado, como Brault, uma parceria com a canadense Kobo, ou seja, estávamos trazendo ao mercado brasileiro o mesmo e-reader. Essa boa conversa entre Sergio e Jacques abriu portas para, quem sabe, um projeto futuro. Algum tempo depois, Sergio e Henrique Alvarez, da NEO Investimentos, foram visitar a FNAC em sua sede, na França. Daí a conversa se aprofundou, desenhando o cenário de uma eventual fusão empresarial. Sabia-se que a rede francesa não estava indo tão bem em nosso país, então, naquele momento, pensamos na formação de uma nova empresa no Brasil, com 70% de participação da Cultura, 30% da FNAC. A ideia não avançou por motivos variados, entre eles, certo desinteresse da NEO, que não avaliava aquela sociedade com a nossa cabeça de varejista. E pelo fato de a FNAC voltar-se, no plano global, para a compra e incorporação do Grupo Darty – uma transação finalizada em 2015, consolidando um gigante do varejo, presente em alguns continentes. Sendo assim, nossas empresas, FNAC e Cultura, seguiram seus caminhos.

Mas, no balanço de 2015 da francesa, publicado no ano seguinte, algo chamou nossa atenção: entre números, resultados e projeções, havia uma discreta linha dizendo que a operação no Brasil poderia ser "descontinuada". Pensamos: hora de reabrir as conversas, mesmo que o momento econômico não se apresente favorável. Novos cálculos foram feitos. Como voltáramos a ser os únicos donos da Livraria

Cultura, precisaríamos construir um projeto de longo prazo e pensar no futuro, algo que poderia ser feito através de um movimento de expansão. Assim, montamos e apresentamos uma proposta de compra da FNAC no Brasil, competindo com outros seis interessados. Uma proposta lastreada basicamente na experiência, seriedade e competitividade da nossa empresa, com uma arquitetura "ganha-ganha", em que as duas partes envolvidas lucrariam com o negócio.

Por exemplo: já que precisávamos diversificar nosso portfólio de produtos, isso seria plenamente atendido pela compra da FNAC, que vende o que nós vendemos, mas também o que ainda não vendíamos, isto é, uma vasta gama de eletroeletrônicos e produtos tecnológicos. Por outro lado, poderíamos alavancar na FNAC algo que fazemos melhor do que ela, a venda de livros. Poderíamos também dinamizar a programação cultural na nova rede, seguindo a estratégia que há muitos anos introduzi na empresa, de atrair público ampliando sua permanência nas lojas ao oferecer eventos de qualidade. Teríamos, por fim, uma complementaridade interessante ao juntar nossos espaços físicos: se não tínhamos filiais em Belo Horizonte e Goiânia, passaríamos a ter ao assumir as filiais compradas. Se ganhássemos mais um endereço em Porto Alegre, onde já somos presentes, seria perfeito, pois teríamos duas lojas geograficamente distantes, atendendo ainda melhor o público. Enfim, consideramos diferentes aspectos e percebemos a sinergia.

O negócio foi feito, trazendo muitos desafios e, claro, muitas dúvidas: vamos manter a marca FNAC, que tem bom *recall* no mercado brasileiro e cujo direito de uso está garantido na transação? Ou preferimos seguir com a nossa marca à frente, marca tão simples, direta e que nos identifica tanto? Manteremos o número total de lojas pelo país, perto de 30? Queremos mais ou menos pontos de venda? Ao incluirmos os funcionários da FNAC, vamos para um quadro de mais de 2 mil contratados. É pouco, é muito? Como aprimorar nosso portfólio de produtos, pensando na maneira como as pessoas vivem hoje, seus hábitos, seus interesses, seus tempos? No momento em que estou compartilhando essas perguntas com vocês, leitores amigos, tudo está no ar... e é normal. Quando este livro chegar às suas mãos, prezados leitores, as definições já terão sido tomadas e talvez haja ainda mais a anunciar. Vamos ver.

O que posso dizer é que estou vivendo um período muito especial. A crise brasileira nos fez passar momentos difíceis nos últimos tempos, devo confessar. A queda acentuada nas vendas (não só nossas, diga-se) trouxe problemas de caixa, pela primeira vez. Precisamos renegociar com os fornecedores, um por um, pois havia situações de pagamentos em atraso. Ouvimos de alguns desses fornecedores que, no mercado de livros, todos os varejistas poderiam atrasar, menos a Cultura. Como assim? A crise não é para todos?! O fato é que, com a compra da rede francesa no Brasil, assumimos todos os seus ativos e passivos, montamos um plano de reestruturação empresarial forte e vamos jogar toda a nossa experiência nisso. A transação inclusive injetou recursos, da parte vendedora, na Cultura, resolvendo problemas de caixa. Agora, ir para a frente.

Eu me sinto animado a fazer essa transição, lembrando sempre que viver é passar e deixar passar. Vamos crescer, sim, e alcançar um faturamento bastante significativo. Novas oportunidades de crescimento deverão se apresentar ao longo do percurso e serão, sempre que possível, aproveitadas. Tenho certeza de que seremos capazes de dar passos mais largos, procurando sempre entender a cabeça do nosso cliente. Mas, ao mesmo tempo que me envolvo nesse movimento de expansão empresarial, também preparo o momento de me retirar de cena. Paradoxal? Sim, penso em me aposentar. Para fazer outras coisas na vida e certamente dar alguma contribuição para construir um país melhor.

Muitas vezes me pego pensando que, se o Brasil fosse uma empresa, seria daquelas altamente burocráticas, que não olha para os seus trabalhadores, não valoriza a competência, a transparência, a governança, a ética. E prefere viver enredada em relações pouco transparentes com os poderes – basta ver a atuação lastimável dos nossos representantes políticos. Que tristeza. Mas, existe gente boa interessada no Brasil, muita gente mesmo. Até porque somos um país com grandes qualidades e potencialidades. Só que não sairemos do lugar se não arrumarmos a casa. Estamos justamente fazendo isso nesta empresa fundada por uma dona de casa imigrante, há setenta anos. Posso testemunhar que vale a pena o esforço.

23

Pedro, perdemos o teatro

Por catorze anos fiz parte da direção da Sociedade de Cultura Artística (SCA), uma instituição paulista que tem feito muito pela nossa cultura, e por três mandatos tive a honra de ocupar a sua presidência. Mas, em 2016, me desliguei dos cargos que ocupei para voltar a ser tão somente o *habitué* dos concertos. Que prazer retornar à condição de público! E que passagem de bastão bem-feita pudemos fazer na instituição. Agora, os mais jovens que assumam o comando. *Viver é passar e deixar passar...* Como parece que estou sempre falando em sucessões, o que tem lá a sua verdade, posso acrescentar uma lição singela, assimilada no aprendizado da vida: quando as sucessões transcorrem de maneira desapegada e construtiva, é sinal de que tudo valeu e tudo continuará valendo a pena.

Entrei para a direção da Sociedade de Cultura Artística em 2002, embora eu frequentasse havia décadas o seu teatro, à rua Nestor Pestana, no centro da cidade. Foram anos e anos ocupando as poltronas G17 e G19, reservadas a mim como assinante, para ouvir músicos maravilhosos, numa sala de acústica formidável. Que temporadas excepcionais pude ver! Justamente de tanto frequentar os concertos, e também por dar palpites aqui e ali para que as temporadas fossem a cada ano melhores, um dia o Gérald Perret, então superintendente da SCA, chegou para mim e disse: "Pedro, na quarta-feira próxima teremos uma reunião de diretoria. Você não gostaria de participar?". Como assim, Gérald, o que eu vou fazer lá? "Nada especial, Pedro. Venha para conversar, trocar ideias, dar palpites, apenas isso."

Na quarta-feira seguinte, lá fui eu participar de uma reunião na Nestor Pestana. Chegando, encontrei meu querido amigo José Mindlin, fundador da empresa Metal Leve, ex-secretário de Cultura de São Paulo e bibliófilo a quem este país tanto deve – basta lembrar da doação que ele fez para a USP, a sua incrível biblioteca brasiliana, com milhares de volumes. Pois bem, nossa família, especialmente minha mãe, tinha um grande respeito por ele. Também porque, e talvez pouca gente saiba disso hoje, Mindlin foi sócio de uma livraria em São Paulo. Antes de relembrar nosso encontro na Sociedade de Cultura Artística, faço uma breve recapitulação do Mindlin, livreiro. Com seu amigo Claudio Blum, ele fundou nos anos 1940 a Livraria Parthenon, que ficava próxima à avenida São Luís, região muito charmosa no centro de São Paulo. A Parthenon era uma loja com jeito de biblioteca, especializada em livros raros, que funcionou de 1946 a 1982 – primeiro, naquele endereço no centro, mais tarde na avenida Paulista. Atraía uma clientela basicamente interessada em livros estrangeiros de qualidade. Acontece que, com o tempo, o negócio não deu muito certo, e uma das razões era um tanto prosaica: Mindlin, com seu bom humor inabalável, dizia que precisou deixar a sociedade porque simplesmente não tolerava vender os livros que importava. Vendia-os, mas sempre queria recomprá-los. O bibliófilo já falava mais alto que o livreiro.

Então, voltando, Mindlin era o presidente da Sociedade de Cultura Artística quando fui chamado para aquela reunião, que transcorreu em tom agradável, muito mais em torno do que estaria em cartaz no Teatro Cultura Artística nos próximos meses. Adorei ter participado da conversa. Pouco tempo depois, com a saída de um diretor, meu nome foi oferecido para preencher a vaga aberta, o que seria ratificado pouco tempo depois, numa eleição informal. Claro, fiquei feliz em poder contribuir com uma entidade que eu admirava de longa data e que só me rendera momentos felizes.

Tempos depois, eu enfrentaria o primeiro desafio na direção da SCA: Claudia Costin, na época secretária de Cultura do Estado de São Paulo, chamou-nos para uma conversa e perguntou se queríamos assumir a administração da Orquestra Sinfônica do Estado de São Paulo, a Osesp. A Sociedade de Cultura Artística deveria assumir tudo: a orquestra, a Sala São Paulo, as temporadas, os músicos, tudo. Àquela altura, e falo do ano de 2003, a Osesp era inteiramente gerida e financiada pelo governo paulista, modelo que, segundo a secretária, não se adequava ao momento difícil pelo qual passava a nossa administração pública, pressionada a dar prioridade a outras áreas. Por que então não terceirizar a gestão da orquestra? Mindlin, com seu bom senso, conduziu de maneira muito serena a discussão sobre o convite, numa reunião de diretoria da SCA: antes de dizer sim ou não, deveríamos conhecer a fundo a situação da Osesp. Precisaríamos auditar tudo. Ter acesso aos livros, contratos, processos trabalhistas, tudo, enfim. Partimos nessa direção.

Por sorte contamos com a experiência de uma das grandes bancas de advocacia do país, o escritório Machado Meyer Sendacz e Opice Advogados, que fez um levantamento exaustivo de toda a situação, trabalhando *pro bono* para a SCA. O resultado do levantamento não foi animador. Se assumíssemos a orquestra, em toda a sua complexidade, e ainda a sua linda sede, enfrentaríamos muitos problemas e certamente não estávamos preparados para tanto. Não tínhamos pernas para dar um passo tão grande. Decidimos abrir mão do convite. Só nos restava agradecer à secretária pela deferência, e continuar trabalhando ao nosso modo, na nossa escala. Também levamos em conta que, dentro de alguns anos a partir daquela data, iríamos comemorar o centenário da nossa instituição, sendo assim, precisávamos nos organizar, com a necessária antecedência, para construir uma temporada de peso, algo que ficasse na história. Quem é do ramo sabe que apresentações com intérpretes e grupos de primeiríssima linha são agendadas com anos de antecedência.

Estávamos mais do que convencidos da importância do centenário. Só para relembrar, a Sociedade de Cultura Artística foi fundada em 1912 por um grupo influente de empresários, fazendeiros, intelectuais, artistas e, sobretudo, jornalistas ligados ao diário da família Mesquita, o *Estado de S. Paulo*. Um ano depois da inauguração do Theatro Municipal de São Paulo, em 1911, esse grupo viu que já era mais do que tempo de formar uma sociedade lítero-musical que fizesse São Paulo ultrapassar a barreira do seu provincianismo. O grupo saiu à frente nesse propósito, basta lembrar que a Semana de Arte Moderna, que também teve como motivação chacoalhar a caretice cultural paulista, só aconteceria dez anos depois. Ou seja, a Sociedade foi, de fato, a precursora de uma São Paulo decidida a se abrir para o mundo.

Muito bem, nossos planos rumo ao centenário seguiam conforme o traçado até 17 de agosto de 2008, um domingo. Lá pelas seis da manhã, o telefone tocou na minha cabeceira. Era o Gérald Perret. "Pedro, perdemos o teatro." O que você está dizendo, Gérald? Imagino que deve ter sido difícil para ele, um suíço da gema, não perder o autocontrole para me comunicar que o Teatro Cultura Artística ardia em chamas. Pulei da cama, vesti a primeira roupa que encontrei e tomei o elevador no 32º andar do edifício Copan, onde moro há 25 anos. Atravessei a praça Roosevelt já me deparando com a tragédia: labaredas imensas consumiam o teatro. Fiquei anestesiado numa calçada da Nestor Pestana, assistindo ao espetáculo dantesco – era real o que os meus olhos viam? Infelizmente, era. Havia algo como vinte caminhões do Corpo de Bombeiros tentando controlar o fogo que destruía tudo.

Aos poucos, perguntando aqui e ali, fui tomando ciência de um enredo absurdo. Por volta da uma hora da madrugada, o vigia do teatro sentiu um cheiro de queimado. Abriu uma porta corta-fogo e subitamente se deparou com as chamas. Ligou imediatamente para os bombeiros, que demoraram três minutos para chegar ao local, pois vieram de uma base nas redondezas, na rua da Consolação. Mas o fogo se propagava de maneira impressionante. Logo o vigia ligou para Gérald, que se preparava para buscar a Orquestra Filarmônica de Liège, no Aeroporto Internacional de Guarulhos. O conjunto belga desembarcava em São Paulo para se apresentar, nos dois dias seguintes, justamente no teatro, como parte da nossa temporada internacional. Foi tudo tão rápido que Gérald me ligou do aeroporto para me dizer que havíamos perdido o teatro.

Como aceitar que um patrimônio cultural de quase um século pudesse ser reduzido a destroços em algumas horas? Isso não cabia no meu juízo. A equipe de produção da peça *O bem-amado*, estrelada pelo ator Marco Nanini e em cartaz naquele momento no teatro, foi a última a deixar o local, também por volta da uma hora da manhã. O que teria acontecido? Um curto-circuito? Uma bituca acesa de cigarro? Um ato criminoso? Tudo passa pela cabeça nessa hora, do mais óbvio ao menos provável. O fato é que perdêramos tudo: duas salas do teatro, a Esther Mesquita, com 1.156 lugares, e a Rubens Sverner, com 339, palcos, camarins, *halls*, depósitos, escritórios, tudo. Inclusive um piano Steinway Concert Grand novinho, doado à Sociedade pelo empresário Roberto Baumgarten. Imaginem só, pouco tempo antes, eu havia ido a Hamburgo para receber o piano! Peço licença ao nosso doador para contar algo até um tanto confidencial: Baumgarten, diante daquela devastação pelo fogo, teve um gesto nobre. "Pedro, quem deu um, dá dois." Foi um alento e uma emoção para quem, como eu, se viu mergulhado na mais completa desolação. Um dia, Roberto Baumgarten há de repetir o gesto generoso, doando outro piano para o SCA e contribuindo de maneira ainda mais significativa com a vida cultural da cidade.

24
Por obra e graça das musas, o incrível pode acontecer

Muitos devem se lembrar de que na fachada do Teatro Cultura Artística havia, de ponta a ponta, um mural assinado por Di Cavalcanti. Batizada como *Alegoria das artes*, a obra foi encomendada ao grande pintor, integrando-se com perfeição ao projeto modernista do arquiteto Rino Levi – só para esclarecer, a SCA foi fundada em 1912 e logo seus diretores começaram a vislumbrar a construção de uma sede própria, com teatro, o que só se realizaria décadas depois. Por isso o concerto de inauguração do Teatro Cultura Artística só aconteceu em 8 de março de 1950, reunindo dois dos maiores compositores brasileiros, Heitor Villa-Lobos e Camargo Guarnieri. A eles juntou-se Di Cavalcanti, para entregar a São Paulo o belíssimo mural da fachada. Fico pensando que nessa noite deve ter ocorrido um verdadeiro encontro de gigantes em São Paulo. Di Cavalcanti concebeu e compôs um mosaico de vidro de 48 m de largura por 8 m de altura, com milhares de pastilhas distribuídas numa paleta cromática de 54 tonalidades. Retratou as musas das artes, que despertariam São Paulo para uma vida de maior elevação cultural. Essa era a ideia inspiradora.

Talvez tenha sido por obra e graça das musas, mas o fato é que o mural resistiu ao fogo, em 2008. Inacreditável. Parecia até algo milagroso diante de tamanha destruição. Mural chamuscado, mas inteiro.

Mais tarde pudemos recuperar a sua beleza original num excelente trabalho de restauro da arquiteta Isabela Ruas e equipe da Oficina de Mosaicos – trabalho que demorou dois anos. Foi bonito ver o cuidado das restauradoras lidando com estetoscópios e aparelhos de ultrassonografia, para avaliar o estado de cada peça da obra. Coisa de perito. O projeto de recuperação foi financiado pelo Credit Suisse e premiado pelo Iphan, com justo merecimento. Mas, voltando ao dia do incêndio.

Por volta das dez da manhã, tomei coragem e liguei para o nosso presidente. Perdêramos tudo. Mindlin ouviu em silêncio, com uma resignação inacreditável, para me dizer o seguinte: "Obrigado por ligar, Pedro. É muito triste. Mas, a vida continua". Pouco tempo depois ele chegaria ao local, para ver a destruição. As chamas ainda eram combatidas no dia seguinte, quando o então prefeito da cidade, Gilberto Kassab, também veio ao local. Kassab se colocou ao nosso dispor, para o que precisássemos. Estávamos sem rumo. Sem teto. Sem chão. Porém, quando tudo parecia irremediavelmente perdido, eis que a solidariedade começou a despontar e a nos colocar em movimento de novo.

Como o Gérald havia hospedado os músicos belgas no Maksoud Plaza, com o qual tínhamos um convênio, a própria direção do hotel nos ofereceu uma sala para que usássemos como escritório improvisado, com uma linha telefônica, mesa, cadeiras, computador, fax. Acampamos por lá. Seria o nosso gabinete de crise. Questões práticas, centenas delas, surgiam a todo momento e pediam rápida resolução: o que faríamos com os assinantes que se preparavam para assistir ao concerto da Filarmônica de Liège, naquela segunda à noite? Conseguimos transferir a apresentação para o Theatro Municipal, que estaria vago. Ufa, perfeito. E a apresentação do dia seguinte? Cancelaríamos? Entre os milhares de telefonemas de apoio, que não cessaram ao longo do dia, pudemos acertar com a direção da Osesp que nos emprestasse a Sala São Paulo na terça. Outro alívio, manteríamos o segundo concerto! Os assinantes ligavam, queriam saber onde iriam sentar, já que não havia mais cadeiras marcadas, mas, meu Deus, nem teatro havia, que sufoco. Não posso me esquecer da solidariedade que tivemos da turma da Osesp, então sob a direção do maestro John Neschling. Eles abriram para nós a planilha da Sala São Paulo, mostraram o que já estava reservado e ofereceram as datas restantes para acomodar a nossa temporada. Esse tipo de comportamento não é usual no mundo das artes.

Meses haviam se passado quando começamos a pensar o próximo passo: como devolver o teatro à cidade. Fomos atrás do arquiteto Paulo Bruna, que trabalhara no escritório de Rino Levi e guardava consigo as plantas originais. Encomendamos a ele o projeto de um novo Cultura Artística, bonito, funcional, que olhasse para o futuro sem perder a matriz modernista que o caracterizava. Bruna logo nos apresentou um projeto preservando a fachada original, que é tombada, com a mesma bilheteria e o painel do Di Cavalcanti. Dentro, um teatro multiuso, concebido para exibir música sinfônica, balé, ópera, dramaturgia. Teria 1.400 lugares. Entre as novidades do projeto, posso me lembrar de um amplo *foyer*, fosso para orquestra, camarins de alto padrão, salas de ensaio, um pavimento administrativo, área para maquinário, garagem – tudo isso somado, daríamos um tremendo salto de qualidade, mas ao custo de milhões de reais.

Questão crucial: onde arrumar dinheiro? Não era possível bancar a obra. Decidimos ir à luta, incentivando desde pequenas contribuições individuais até doações mais expressivas, por parte de empresas e instituições financeiras. Recorremos à Lei Rouanet, também. Kassab, já sensibilizado com a situação, tinha a noção clara de que o novo Cultura Artística seria um elemento-chave para a revitalização de toda uma área degradada do centro de São Paulo. O projeto era, por assim dizer, de seu interesse. Tanto que ele próprio, ainda prefeito, ofereceu um jantar em seu apartamento para um grupo de homens de negócios, no esforço de convencê-los a colocar dinheiro na construção. E não só: ao desapropriar na esquina da Nestor Pestana o nightclub Kilt, de altas baladas e frequência duvidosa, Kassab não só melhorou o entorno como nos obrigou a readequar todo o projeto, para tirar mais proveito da área voltada para a praça Roosevelt. Isso fez com que Paulo Bruna "girasse" o teatro no terreno, deslocando palco e plateia, algo que o levaria a uma planta ainda melhor. Também ganhamos com a contratação de uma firma de origem inglesa, a Theatre Projects Consultants, que nos auxiliou no detalhamento do projeto. Graças a esses consultores, pudemos eliminar um item caro do orçamento, as escadas rolantes. Elas eram desnecessárias, dado que teríamos elevadores.

Com muito esforço, conseguimos dinheiro suficiente para pagar o projeto, tirar todo o entulho, preparar o terreno para receber as fundações do novo teatro, em nossa primeira fase de captação. Mais recursos, não tínhamos. E dificilmente teríamos no curto prazo, uma vez que o país mergulhava na crise econômica da qual ainda não saímos. Perspectivas complicadas. Ocupando meu terceiro mandato na presidência da SCA, tive que enfrentar uma discussão penosa: parar ou não o projeto, cuja execução custaria 190 milhões de reais, mas para o qual já havíamos obtido todas as aprovações necessárias ao início das obras. Adiar ou não o sonho de abrir novamente as nossas portas, na rua Nestor Pestana. Ouvir ou não o som de um Steinway tinindo de novo, substituindo para sempre aquele que o fogo levou.

A essa altura, Gérald havia se afastado da superintendência, depois de décadas de dedicação à Sociedade, dando lugar a um jovem executivo, Frederico Lohmann. Claudio Sonder, meu amigo e presidente do conselho, também anunciava a sua saída. Era tempo de sair, também, Pedro. *Viver é passar e deixar passar...* Ainda pude decidir suspender a execução do projeto, até que as coisas melhorem. Sim, é triste ter que puxar o freio, mas seria lamentável ver a obra parada nas fundações. Tenho certeza de que, assim que for possível, um lindo teatro será devolvido à cidade. Certamente não será o que projetamos, porém, algo mais reduzido e de custo mais baixo. Temos que nos adaptar aos tempos.

Creio que não vale a pena alimentar as frustrações, até porque o que fica, em uma existência feita de sucessões, são os bons momentos vividos – aceitando sempre, claro, que o futuro não nos pertence. Kent Nagano, Daniel Barenboim, Frank Shipway são alguns dos regentes incríveis com quem pude conviver, e aprender, em suas passagens por São Paulo, como músicos convidados da Sociedade de Cultura Artística. Com Wynton Marsalis, simpaticíssimo, saí para tomar caipirinha e comer feijoada. Rimos muito ao saber que, como únicos pedidos para a nossa produção, Marsalis solicitara uma tábua de passar roupa e um tabuleiro de xadrez. Com Antonio Meneses, jantamos a quatro: minha namorada e eu, ele e o seu violoncelo raríssimo, que ocupou um lugar à mesa como qualquer comensal. Tantas histórias a relembrar... sabiam que *lady* Kiri Te Kanawa recebeu aqui em São Paulo a comunicação formal de um pedido de divórcio, enviada via fax por seu marido? Foi uma notícia impactante para ela. No entanto, horas mais tarde, quando as luzes do teatro se acenderam e o silêncio caiu sobre a sala, o drama humano foi obrigado a dar passagem à voz da diva, numa submissão total. Mais do que diva, Te Kanawa foi uma deusa naquela noite.

25

A criança e o livro, uma relação cultivada em casa

Já apresentei a minha tese, fruto da experiência cotidiana, de que leitor se forma em casa, e não na escola, como é mais usual acreditar. Permitam algumas reflexões sobre isso. A criança naturalmente gosta do livro, posso garantir. Mas ela precisa de estímulo e exemplo para se tornar um(a) leitor(a) de verdade. Se os pais leem, a chance de isso acontecer é muito maior. Porque a criança imita o gesto – seja o de abrir um livro, tentar dar o nó da gravata, andar de salto alto como a mãe ou mesmo enfiar o dedo na tomada. O fato é que ela olha e tenta fazer igual. Costumo observar pais e filhos em nossas lojas. Há aqueles que trazem os pequenos para se livrar deles por um tempo. Deixam que corram, gritem, invistam contra o dragão de madeira, pisem nos livros, enfim, querem que se cansem bastante para depois chamá-los para ir embora. Há outros pais, no entanto, que trazem os filhos e ficam com eles. Folheiam, leem, curtem os livros juntos. E compram com mais satisfação.

Um dia decidi colocar em prática uma ideia que me pareceu não só simpática, mas reveladora. Fizemos com que o nosso cartão fidelidade, o Mais Cultura, permitisse que os pais pudessem creditar seus pontos de compra para os filhos, ambos cadastrados em nosso sistema. A partir de certa pontuação, a criança poderia comprar seu próprio livro, utilizando o cartão do adulto. E isso começou a acontecer. Vocês não podem imaginar o ar de felicidade de uma criança de 8, 9 anos comprando um livro com o cartão que é do pai, mas pontua para ela! Eu vi isso nos olhos de muitas meninas e meninos, daí por que digo que foi uma revelação para nós. Aquele cartão se transforma numa forma de mesada, dando à criança autonomia de escolha e de compra do livro.

Neste ponto, vocês poderiam me perguntar: mas, e o papel do professor na formação do público leitor? Evidente que os mestres têm sua importância, no entanto, sendo aqui muito franco, o que fica claro para mim é que eles, ao menos no Brasil, não têm recursos nem para comprar livros para a sua formação. O professor não é reconhecido em nosso país e, de modo geral, a leitura infantojuvenil ainda está muito atrelada ao que o governo compra e insere no programa de ensino.

Outro aspecto sobre o qual tenho pensado diz respeito ao aumento do número de jovens casais que não pretendem ter filhos – e aqui falo de uma tendência que observo na Livraria Cultura, já muito evidente em países da Europa. Há países nórdicos que até garantem vantagens fiscais para quem opta por filhos, tal a necessidade de reposição demográfica. E por que isso está acontecendo? Porque com o mundo cada dia mais complexo e cheio de instabilidades, o projeto da procriação tornou-se arriscado –, aliás, faço questão de dizer que entendo perfeitamente esses jovens casais. O problema é que a decisão de não gerar filhos também contribui para o declínio do número de futuros leitores. Isso é matemático, não podemos contestar. Seja lá como for, para jovens casais com crianças pequenas, essa brava gente que enfrenta a perspectiva de um futuro cada vez mais incerto, eu recomendaria o seguinte: o hábito da leitura é algo que se incute em casa, portanto, não terceirizem a educação dos filhos para a televisão, o computador, o tablet e todas as babás tecnológicas disponíveis no mercado. Leiam com eles. Leiam diante deles. E não deixem morrer o hábito salutar, além de tão amoroso, de ler para os pequenos uma historinha, na hora de dormir.

Há boa literatura infantil no Brasil e no mundo. Admito que os clássicos sempre vendem. Falo, por exemplo, de Monteiro Lobato, Ziraldo, Ruth Rocha, Pedro Bandeira, Tatiana Belinky, para citar os nossos autores, ou de Antoine de Saint-Exupéry, autor de *O pequeno príncipe*, um delicioso best-seller para crianças de todas as idades. Mas há uma produção literária nova sendo feita para o público infantil, algo que tenho verificado pelos lançamentos. A prova de que esse mercado se mantém é o sucesso da Feira do Livro Infantil e Juvenil de Bolonha, na Itália, que só em 2015 registrou aumento de 9%, reunindo mais de mil exibidores e um importante prêmio para ilustradores com cerca de 3 mil participantes. Não é pouca coisa. São jovens artistas que vêm inovando o lado visual do livro infantil, com trabalhos de alta qualidade. Fico animado com esse prêmio porque, no passado, ilustrações para livros infantojuvenis alcançavam o patamar das obras de arte. Também me anima ver como a Festa Literária Internacional de Paraty, a FLIP, ganhou, e ganha sempre, quando se volta para as crianças, com ações educativas e programação específica. Deveriam garantir espaço ainda maior para esse público, não só a FLIP, mas todas as feiras e festas literárias pelo país.

Ainda refletindo sobre o tema "a criança e o livro", acho que também caberia perguntar: a livraria tem um papel a desempenhar na formação do leitor mirim? Claro que sim. Permitir que o nosso cartão fidelidade pontue para os filhos dos nossos clientes é só uma das estratégias nessa direção. Manter uma programação cultural diária em nossas lojas, voltada para esse público, no período das férias, é outra forma de estimular o hábito da leitura. O inacreditável é que fazemos tudo isso enquanto as bibliotecas públicas, a maioria delas, estão completamente desatualizadas e, pior, fecham nos fins de semana e feriados! Não dá para entender: não estão abertas exatamente no momento em que os pais poderiam ir até lá com os filhos. Isso é inaceitável num país em que a taxa média anual de consumo de livro está num patamar vergonhoso de 1,7 exemplar por pessoa. Muito pouco, não acham? Eu fiquei muito feliz quando a Biblioteca Mário de Andrade, de São Paulo, se organizou para permanecer aberta 24 horas. Agora, me digam: quantas mais farão isso? E o que estão fazendo as outras cidades brasileiras? Bibliotecas precisam ter vida dinâmica e funcionar como pontos de acolhimento da população.

Em 1997, a escritora britânica J. K. Rowling lançou o seu *Harry Potter e a pedra filosofal,* primeiro livro da série. Foi um sucesso espantoso no mundo e, aqui no Brasil, especialmente comemorado pela editora Rocco, que havia adquirido os direitos autorais da obra (é sabido que os direitos foram oferecidos a outras editoras brasileiras, que não se interessaram pela história do pequeno bruxo...). Do meu lado, como livreiro, pressenti o fôlego da autora para atingir um sucesso editorial sem precedentes. No lançamento do segundo livro da série, *Harry Potter e a câmara secreta,* nós nos preparamos para um evento elaborado, com concurso de fantasias e uma divertida cerimônia de abertura das caixas dos livros, que chegavam na versão original, em inglês. Decidimos entrar no clima. Assim, avisamos a imprensa, pois estávamos querendo fazer daquilo um acontecimento.

Só que havia um embargo mundial imposto pela editora Bloomsbury, no Reino Unido, que lançava os livros no idioma original. Ou seja, nós já havíamos recebido as muitas caixas com os livros aqui em São Paulo, mas não estávamos autorizados a abri-las antes da meia-noite de um determinado dia, em 1998. Mas, detalhe: de qual meia-noite estavam falando? A de Londres, a de Nova York, a de Tóquio, a de São Paulo? Meia-noite em São Paulo seria ainda nove da noite do dia anterior em Nova York, ou duas horas da manhã do dia seguinte em Londres. O embargo gerou uma confusão tremenda, ainda mais com as cláusulas rígidas que continha: nem editoras, nem livrarias, nem imprensa, nem leitores poderiam colocar a mão num livro, antes que expressamente autorizado pela Bloomsbury.

Isso gerou uma confusão terrível. Fui localizado num fim de semana em Campos do Jordão pelo inglês Mike Bryan, então presidente do Grupo Penguin, que justamente distribuía os livros da Bloomsbury. Nós nos conhecíamos havia muitos anos. Mike estava ansioso ao telefone, tentando fazer com que eu mudasse a minha programação, para não furar o suspense de outros públicos, especialmente o americano. Eu rebati, claro. Argumentei que a minha programação já estava anunciada, a festa preparada, e não tinha culpa se o embargo deles não explicitava qual meia-noite eu deveria tomar como referência. E os telefonemas não pararam: representantes da Scholastic, a editora que distribuía *Harry Potter* para o mercado americano, lembravam-me que eu estava sob contrato e que, se desrespeitasse alguma regra, sofreria as penalidades previstas. Bom, fui contornando a situação como pude e, nos anos seguintes, os embargos trataram de ser mais explícitos. Ao menos isso. Consegui também manter uma boa relação com Mike, sujeito ótimo, hoje aposentado, mas trabalhando de forma independente como agente literário.

Pois bem, nos anos seguintes, fomos ampliando ainda mais o nosso marketing em torno de *Harry Potter*: a cada lançamento, as lojas passaram a ser invadidas por levas de crianças e adolescentes que bem poderiam ter saído da Escola de Magia e Bruxaria de Hogwarts, tão bem fantasiados chegavam, gerando e curtindo todo um *frisson*. O formidável é que, no lançamento mais recente, *Harry Potter e a criança amaldiçoada*, de 2016, já recebi na livraria pais, mães e filhos vestidos a caráter. Ou seja, aquele jovem leitor dos nossos primeiros lançamentos festivos hoje chega com o filhinho nos braços, por sua vez também fantasiado, para buscar o seu exemplar. Isso é incrível.

Por essa capacidade de fazer milhões e milhões de novos leitores em todo o mundo, levando-os inclusive a superar a barreira linguística – soube de muitos casos de crianças brasileiras que pediram aos pais para estudar inglês só para ler *Harry Potter* no original, antes do lançamento em português da Rocco –, eu daria todos os prêmios literários do mundo para J. K. Rowling. Ela merece, e eu nem precisaria me justificar citando os números superlativos de sua fortuna pessoal. Apenas alguns: Rowling está caminhando para os 500 milhões de exemplares vendidos desde o livro de estreia, a marca Harry Potter vale algo como 15 bilhões de dólares, os subprodutos são incontáveis e, na esteira de todo esse sucesso, a autora escancarou o mercado editorial para outras sagas infantojuvenis – até *O senhor dos anéis*, do também britânico J. R. R. Tolkien, dos anos 1940, acabou se beneficiando do sucesso do pequeno bruxo, hoje um personagem adulto.

Quando expresso minha preocupação com o decréscimo do número de leitores no Brasil e no mundo, posso ser entendido como uma voz um tanto quanto contraditória. Afinal de contas, passamos muitas horas do nosso dia diante do computador ou na telinha do celular, fazendo o quê mesmo? Lendo. Mas, o que estamos lendo, de fato? E o que estão lendo nossos filhos e netos? Daí a conversa muda de figura. Noto que todos nós fazemos muitas leituras *on-line* ao longo do dia, leituras episódicas, superficiais, boa parte de baixa qualidade. Isso é sabido, as pesquisas confirmam, não fui eu que inventei. Por outro lado, e vejam só a contradição, se me perguntarem qual é o tipo de lançamento mais concorrido em nossas lojas hoje, vou responder rapidamente: livro de blogueiro. Como? Blogueiro fazendo livro? Sim, vide o sucesso da Kéfera Buchmann, criadora de um canal no YouTube conhecido como *5inco Minutos*. Kefera é uma *youtuber* popular, que se apresenta como neoescritora. Faz parte dessa geração internet que vem lançando livro, sabe como divulgá-lo nas redes sociais e consegue transformar noites de autógrafos em eventos muito divertidos e movimentados.

Isso claramente sinaliza outro fenômeno dos nossos dias: a literatura juvenil vai muito bem, obrigado. Aqui na Cultura, nosso pessoal de BI, business intelligence, já detectou pelo menos quatro vertentes no segmento: livros sobre sagas, como *Harry Potter*, de J. K. Rowling, *Percy Jackson*, de Rick Riordan, *Crepúsculo*, de Stephenie Meyer, ou *Jogos vorazes*, de Suzanne Collins; livros divertidos e de autodescoberta, como *Diário de um banana*, de Jeff Kinney; livros de transição para o mundo adulto, como *365 dias extraordinários*, de R. J. Palacio; e livros de autores já considerados "clássicos", como Ana Maria Machado, Malba Tahan, Saint-Exupéry. Estes sempre agradam. Temos sinalizado para as editoras as áreas de interesse do público infantojuvenil, algo que atestamos em pesquisas de mercado e análises a partir da nossa clientela. Assim, quando comparamos os gráficos de evolução de vendas em diferentes períodos, vemos que a literatura juvenil vive um bom momento.

Exemplo desse fenômeno é a escritora carioca Thalita Rebouças, líder de vendas nos últimos anos: mais de 2 milhões de exemplares em sua curta carreira, algo poderoso para o mercado editorial brasileiro. Thalita é um fenômeno: aos 40 e poucos anos, parece escrever com muita facilidade, dinamiza um poder especial para atrair leitores, é lida em 20 países, tem 6 obras sendo adaptadas para o cinema, convites para fazer televisão, coluna na imprensa e, como se ainda fosse necessário, é muito bonita e simpática! Seus livros, especialmente lidos pelas meninas, mostram-se cativantes desde o título. Como, por exemplo: *Confissões de uma garota excluída, mal-amada e (um pouco) dramática*. Ou então: *Fala sério, mãe*, que integra uma série com *Fala sério, amiga*; *Fala sério, irmão*; *Fala sério, amor*. A verdade é uma só: Thalita fala a linguagem dos seus leitores. Ela escreve para eles, não para si mesma, característica não muito frequente no mundo das letras. Em resumo, podemos apontar tendências já mais ou menos seguras de que a geração internet gosta de ler e escrever. Isso é animador. Agora, quanto a mim, espero que eles tenham filhos e os eduquem também para ler... livros. Certo, sou vendedor e quero disseminar ao máximo o produto que comercializo. Mas, convenhamos: a essa altura da vida, estou mais interessado na preservação de um hábito salutar, que enriquece a nossa existência – a boa leitura.

26
Minha cidadania não pode esperar

Certo, a cidadania de ninguém pode esperar. Porque ela é um direito extensivo a todos nós, que somos também portadores de deveres – a serem cumpridos. Concordo 100%. Mas, permitam que eu diga que a minha cidadania não tem mais como esperar. Estou sendo muito franco. A partir de certa idade, as pessoas têm pressa. Querem ver o país melhorar e crescer por meio de mudanças concretas, palpáveis. Querem o país de hoje e não a vaga promessa de um país do futuro, ainda que compreendamos que o amanhã será fundamental para as gerações que irão nos suceder. No meu caso, de que adianta ficar arrancando os cabelos (que não tenho) para tentar saber o que vai se passar com o livro ou o varejo, num país que continua indo tão mal na escola e onde ascensão social se mede meramente pela capacidade de consumo?

Há anos venho registrando, e sentindo na pele, a perda da qualidade de vida no Brasil, e falo dessa ideia no sentido mais amplo. Não sei se as pessoas têm essa percepção ou se já estão abrindo mão de coisas muito simples, porém, essenciais ao bem viver. Como poder caminhar numa calçada sem o risco de ter uma torção no tornozelo ou até uma fratura craniana. De sair a pé para tomar um sorvete à meia-noite, se o calor é grande e convidativo, sem ser abordado por um ladrão que vai levar o que pode, se não fizer maldade maior. De não ser engolfado pelo lixo que transborda dos bueiros na primeira chuva. De não ser obrigado a conviver com uma cidade inteira pichada – e não falo dos grafites –, tendo que achar bacana porque algum gênio disse se tratar da mais autêntica expressão da cultura urbana. O quê? Alguém combinou isso comigo, com você, com a sua família? Tenho que aceitar a pichação porque é politicamente correto e pega mal falar contra? Então, vamos discutir o direito à cidade. Eu também tenho.

O que vejo, e me angustia, é essa perda da qualidade de vida em favor de modelos e padrões de comportamento que só acentuam o problema. Posso dar um exemplo: sempre gostei muito de andar. Não corro, ando. Fico um tanto incomodado ao me dar conta de que ando mais tranquilo em Nova York, talvez a cidade mais familiar para mim depois de São Paulo. Lá eu saio para andar na rua às duas da madrugada, se perdi o sono ou se preciso comprar uma aspirina na farmácia. Nenhum problema. Em compensação, me lembro de, nos anos 1970, passear por uma avenida em Nova York, à noite, depois de um jantar com amigos, com muito medo de ser assaltado. Era perigoso mesmo. Andar pelo Central Park, então, era uma aventura não recomendada. Assim como pegar o metrô de madrugada. Hoje tudo isso ficou no passado, porque Nova York fez a lição de casa nas últimas décadas: resolveu seus maiores problemas urbanos, combateu a violência e a criminalidade, e assim tornou-se uma metrópole extremamente agradável.

E aqui em São Paulo? Eu bem que tento manter hábitos de bom urbanoide. Por exemplo, costumo tomar um ônibus para chegar ao trabalho. Deixo o carro na garagem – aliás, para que mesmo preciso de um carro? Vivo me perguntando. Coloco minha carteirinha de idoso no bolso da camisa e venho para o escritório da Livraria Cultura sentado no coletivo, admirando a cidade. Sem pagar por isso. Sou frequentador de transporte público não só no Brasil, mas fora, e acho que é um sistema essencial para o nosso bem-estar. No entanto, aqui poderia ser melhor. Todos deveríamos ter a opção do transporte público de qualidade, assim como a alternativa de ser simplesmente pedestre em São Paulo. Seria formidável se eu pudesse vir para o trabalho a pé, pisando em calçadas planas e largas, cruzando praças bem cuidadas, sem medo de um ladrão ou um pobre zumbi drogado avançar sobre mim. Pois essa tem sido a rotina cotidiana do paulistano e, com muita tristeza, digo que passei a ter medo do lugar onde sempre vivi. Como ser indiferente às centenas de cracolândias que se espalharam por várias regiões? Como ser indiferente aos milhares de pessoas que estão morando nas ruas, inclusive com crianças? Como ser indiferente ao fato de que vivo numa cidade cercada de presídios? Eu não tenho a solução para esses problemas, só sei que não consigo ficar indiferente a eles.

Agora, quem tem a solução? Quem quer de fato resolver alguma coisa? Aí a discussão muda de rumo, porque eu não posso ficar apenas pensando no que se passa no meu bairro, ou no meu quarteirão, tenho que olhar o Brasil. Temos passado por um turbilhão de problemas políticos, fora a crise econômica, no entanto, um comportamento muito básico, e altamente nefasto, continua se repetindo na administração pública brasileira: "Tudo o que o meu antecessor fez não presta. É preciso que seja refeito". Nutrimos dessa forma um "mudancismo" irresponsável que tanto pode acontecer numa autarquia como numa prefeitura ou num governo estadual, tanto faz. A verdade é que não se tem mais a visão de continuidade administrativa, processo de transformação e construção do futuro. Vivemos no "país do faz & desfaz & refaz", para sempre fazer de novo, evidentemente. Brasil, o eterno improviso!

Além da perda de tempo que isso representa, perde-se também capital humano, recursos técnicos, talento, eficiência e muito, muito dinheiro. Fazer, refazer, para fazer de novo é um grande estímulo para a corrupção. Sendo que, entre uma etapa e outra dessa engrenagem estúpida, para dizer o mínimo, milhões se esvaem em propinas, comissões, intermediações, lavagens de dinheiro, sem falar nos presentes formidáveis e favores inconfessáveis. É o caso de sempre perguntar: escuta aqui, Excelência, será que o seu antecessor não fez mesmo nada de aproveitável? Se fez, use o que lhe foi deixado e trate de melhorar!

Vejam como a irracionalidade do "faz, desfaz, refaz" está na origem de problemas brasileiros que se tornaram crônicos. Por exemplo, a seca no Nordeste. Hoje existem inúmeras soluções técnicas de eficiência comprovada no mundo para combater tal problema. Basta lembrar de Israel, um país diminuto que em meio século enfrentou a dramática falta d'água, criou sistemas de irrigação autossustentáveis e transformou seu deserto em área cultivável, de onde saem toneladas de frutas, flores, legumes. Por que não atacamos o problema de frente aqui no Brasil? Por que não copiamos experiências que já deram certo? Simples responder: porque no Brasil formou-se uma poderosa indústria da seca, feita de mil paliativos e movida à base de muita corrupção, indústria da qual milhares e milhares de famílias são dependentes, infelizmente.

Essa situação perversa, que se expressa nos planos municipal, estadual e federal, causa perdas imensas na saúde, na educação, nos programas habitacionais, até no nosso quadro epidemiológico. Basta ver as doenças crônicas, típicas do subdesenvolvimento, com as quais o Brasil tem se defrontado ultimamente – caso da dengue e da febre amarela, para ficar apenas no que é mais conhecido. De que adiantou nossos sanitaristas alertarem para esse quadro com anos de antecedência? Perderam tempo, até porque a saúde pública não tem sido item prioritário na agenda brasileira. Jamais foi, na verdade. Se continuar assim, logo veremos países exigirem vacinações específicas para os cidadãos que programarem visita ao nosso país. Triste...

Outra coisa que me aborrece profundamente é essa nossa mania de originalidade. Sim, pois achamos que somos diferentes e melhores em muita coisa: nosso futebol, nossas praias, nossas mulheres, por longo tempo esses e outros "itens" residiram na lista da excepcionalidade brasileira. Que balela! Somos o que somos e, independentemente do que somos, temos muito a aprender. Precisamos aprender. Podemos melhorar. Conseguiremos inovar. Mas temos que andar rápido, pois já nos esbaldamos longamente em ilusões.

Desculpem o desabafo, porém precisamos cair na real de uma vez por todas. Aos 77 anos já fiz muito como empresário, mas não me conformo em deixar as coisas como estão para assistir passivamente à minha progressiva perda de qualidade de vida, no tempo que me resta de vida, no país onde nasci. Minha cidadania, portanto, tem pressa. E a sua?

27
Nem tudo
são flores...

Como já pude contar aqui, a Cultura nasceu em casa, como uma biblioteca circulante que alugava livros. Era o modesto negócio de minha mãe, que tentava dessa forma ajudar financeiramente a família. Vejam que, de comum acordo, Eva e Kurt, meu pai, abriram as portas do seu próprio lar para atender uma clientela em busca de boa leitura, os inquilinos dos livros. Eis o DNA da Livraria Cultura: tratar os clientes como amigos, num espaço de livros organizado da melhor maneira possível e da forma mais acolhedora que encontramos. Pois bem, essa ideia original continua viva após setenta anos, contudo, quando se alcança um determinado porte na empresa, os problemas também tendem a se tornar mais complexos. Hoje enfrentamos situações que, décadas atrás, seriam impensáveis. Fora isso, comparada com a frenética São Paulo de 2017, a cidade de 1947, onde a Cultura nasceu, era quase uma província. Penso nessa São Paulo remota e tenho a impressão de visitar um passado idílico.

Muita coisa mudou em sete décadas. Minha mãe não tinha a menor preocupação com a questão da nossa segurança quando passou a receber os clientes na sala de estar de casa. Porque eles se comportavam de forma correta, natural, sendo que muitos deles acabariam favorecendo amizades duradouras. Na hora do almoço, por exemplo,

Eva ia para a cozinha fazer a nossa refeição, deixando a sala e os clientes para o meu pai, que por sua vez chegava da rua, vindo do trabalho, para comer rapidamente conosco. Depois ele partia novamente e minha mãe voltava a cuidar dos livros. Essa era a rotina simples da família. Hoje, por razões distintas, temos que gastar fortunas com esquemas de vigilância e segurança nas lojas, mesmo operando dentro de shoppings. Tentamos de todas as formas evitar dores de cabeça, sejam furtos ou roubos, destemperos verbais ou agressões mais graves. Nosso monitoramento constante, que poderíamos definir como a precaução necessária, no entanto, nunca é infalível: impõe ações rápidas de nossa parte, fora a constante melhoria no atendimento.

Não que esse tipo de problema não acontecesse no passado. Eu me lembro de um padre que frequentou a nossa primeira loja no Conjunto Nacional. Ele conversava bastante com minha mãe, de forma sempre muito cordial, e a partir de certo momento passou a trazer livros em português para ela. Ou seja, o padre visitava a nossa livraria e presenteava a fundadora com livros que ele mesmo recomendava. Que simpático. Aos poucos fomos suspeitando que os livros eram roubados de algum lugar. Com um pouco mais de observação, vimos que o padre, quando nos visitava, em geral tomava um livro nosso numa das mãos, como se estivesse lendo e degustando a obra antes de comprá-la, e com a outra surrupiava livros de alguma pilha que estivesse próxima dele, escondendo-os na batina! O homem era de uma destreza impressionante. Um dia fomos visitados pela irmã do padre, que nos confirmou a doença do irmão: era um cleptomaníaco. A partir daí ela passou a nos devolver os livros que ele levava, sempre em língua inglesa, por sinal, e nós devolvíamos os presentes deixados para a minha mãe, sempre em português, livros que haviam sido subtraídos de outra livraria, com certeza. Fazíamos as trocas sem fazer alarde; afinal de contas, tratava-se de um doente.

Tivemos outros casos de cleptomania, talvez eu possa relatar um com final bem feliz. Um conhecido costureiro de São Paulo, tornou-se frequentador assíduo da Cultura. Mas, a certa altura, em vez de comprar livros, passou a roubá-los. Livros de arte, história, arquitetura, moda, só coisa fina. Foi levando embora e nós não conseguíamos identificar o responsável pelo sumiço das obras. Um belo dia este costureiro chegou para mim e disse: "Pedro, eu tenho um problema e preciso dividir com você. Peguei da sua loja tais e tais livros. Foram levados de forma indevida por mim, reconheço, aqui está a lista. Pode conferir item por item, diga quanto devo e saiba que vou pagar. Só não tenho como quitar o débito de uma vez. Você poderia receber em prestações?". Fiquei perplexo. Jamais imaginei que um profissional conhecido como aquele pudesse ser cleptomaníaco. Como jamais pensei que um cleptomaníaco, em crise de consciência, iria se dispor a saldar o prejuízo em suaves prestações! Verifiquei a lista que ele havia deixado conosco e cotejei com o estoque. De fato, os livros listados haviam sumido da loja. Decidi manter o caso sob sigilo e, discretamente, acertamos o cronograma das prestações. Pois não é que ele pagou todas as parcelas, pontualmente, quitando toda a dívida?

Talvez a primeira vez que eu tenha me dado conta desse tipo de problema foi no início do meu trabalho em loja aberta, quando começou a me intrigar o sumiço dos *Atlas de anatomia humana*, de Johannes Sobotta, uma espécie de bíblia para estudantes de medicina. Sempre foi uma aquisição cara. Pois fui percebendo que havia uma gangue altamente especializada em roubar os *Atlas* da nossa loja. Passei a guardá-los no estoque, a portas fechadas, era o jeito. Posso dizer que os anos passam e o roubo de livros continua razoável, não só na Cultura. Como é grande no Brasil o roubo no comércio varejista em geral – o que tem de gente comendo em supermercados é uma barbaridade, mesmo com todas as câmeras apontadas para corredores, geladeiras, caixas etc. Monitorar sempre e mais – creio que não vamos escapar disso.

Noto que se confunde em nosso país espaço público com "espaço para público" – embora ambos sejam igualmente desrespeitados. Por exemplo, se uma pessoa resolve destruir uma gangorra num parque infantil, mantido pela prefeitura, claro que se trata de vandalismo, portanto, um desrespeito e uma agressão ao espaço público. Isso não pode acontecer. Agora, uma livraria é um espaço para público, sendo, porém privado. Nós a montamos para atender as pessoas, que por sua vez devem atender a regras fixadas pelo estabelecimento. Temos, como já disse em capítulo anterior, um trabalho imenso com a localização de livros extraviados nas lojas, pois os clientes tiram os volumes das prateleiras e os deixam em qualquer parte, somem com eles e isso tudo complica a nossa vida. Por isso mantemos permanentemente equipes para localização e reordenação dos livros. Entretanto, há um custo adicional que acaba sendo repassado ao produto e ao consumidor, assim como o valor de qualquer câmera de vigilância instalada na loja. Segurança tem preço, e o comerciante não pode arcar sozinho com ele. Hoje já existem etiquetas localizadoras que, uma vez acionadas, sinalizam onde o volume está escondido, guardado ou deixado de lado – trata-se de uma tecnologia cara, mas funcional. Portanto, continuaremos aperfeiçoando o nosso sistema de monitoramento e, sempre que posso, como agora, tento mostrar que não se ganha nada com esse tipo de transgressão. Todos perdemos.

Temos também um desafio a vencer no varejo com a progressiva falta de modos, ou de certa compostura, dos consumidores. Se boa parte deles ficou mais consciente, nos últimos anos, outra parte prefere agir "fora da caixa", por razões que desconheço. Já tivemos situações em que clientes maltrataram verbalmente vendedores – e estes chegaram a abrir boletim de ocorrência, o que nos pareceu correto. Recebemos dois "clientes" estelionatários em uma das lojas, que simplesmente haviam clonado o cartão de uma delegada titular do estado onde vivem! Claro, foram flagrados e presos. Há, também, comportamentos excessivos do público em ocasiões em que personalidades conhecidas aparecem nas lojas. Por exemplo, quando veio falar em nosso auditório, a blogueira cubana Yoani Sánchez foi hostilizada aos berros e xingamentos por pessoas que divergiam das suas críticas ao regime castrista. Foi um sufoco aquele dia. Noutra oportunidade, quando o então prefeito de São Paulo, Fernando Haddad, do PT, participou de um programa da rádio CBN em nosso auditório, o então senador Eduardo Suplicy, que o acompanhava, quase apanhou! Recentemente, outro senador petista, Humberto Costa, nosso cliente, foi ofendido na filial do Recife por pessoas contrárias ao seu partido. Em compensação, o juiz Sérgio Moro, quando compareceu a uma noite de autógrafos em nossa matriz na avenida Paulista, foi aclamado como um *pop star*. As pessoas queriam abraçá-lo, beijá-lo, agarrá-lo. Tempos de Lava Jato...

Notem que tem de tudo para todos, mas, por que tantos excessos, me digam? Não pretendo que reine em nossas livrarias a paz das bibliotecas ou dos templos, no entanto, por que não compartilhar experiências de consumo mais tranquilas, enfim, a escolha de um livro revela-se quase sempre um momento particular na vida. Porque vamos escolher a obra, depois iniciar a leitura, daí mergulhar num mundo que não nos pertence, mas nos é oferecido, e isso acaba por nos transformar como seres humanos. Sim, o livro nos humaniza numa época tão voltada para as externalidades, em que acabamos perdendo o contato conosco, para talvez correr o risco da irracionalidade ou até mesmo da animalidade que nos habita.

Em dezembro de 2009, um cliente, o designer Henrique de Carvalho Pereira, de 22 anos, foi agredido em nossa loja de livros de arte no Conjunto Nacional, por um homem que entrou com uma faca e um taco de beisebol escondidos na mochila. Como já disse, sistemas de segurança devem ser reforçados sempre, mas creio que jamais serão infalíveis. Querem uma prova disso? O roubo de telas famosas em museus importantes pelo mundo, equipados com o que há de melhor em termos de monitoramento do público e vigilância de acervo. Pois bem, Henrique recebeu um golpe brutal na cabeça, desfechado por aquela pessoa ensandecida, que não falava coisa com coisa e hoje vive num manicômio judicial. Vocês podem imaginar o trauma que eu e meus filhos sofremos, não só com a agressão em nossa casa, mas, sobretudo pela morte da vítima e a situação de sua família? Que terrível. Sobreviver a esse pesadelo foi seguramente a experiência mais difícil que precisei enfrentar em setenta anos de atividade. Eu me dei conta disso quando, no dia seguinte ao triste episódio, ouvi algo que me abalou. Eu estava na porta de uma das nossas lojas no Conjunto Nacional, quando alguém chegou perto de mim e perguntou: "Onde é que eu pego o capacete para entrar na sua livraria?". Não respondi. Saí andando. Zonzo. Machucado. Ferido na alma. Henrique faleceu dez meses mais tarde, numa UTI.

A blogueira cubana
Yoani bem que tentou,
mas foi impedida
de falar

28
Os próximos setenta anos: navegando tempos incertos

Poderia finalizar este pequeno livro de memórias e reflexões pessoais dizendo algo como "bom, fiz a minha parte, hora de pegar o boné". E o protetor solar, quem sabe. Como livreiro e empresário, creio ter realizado coisas importantes e inovado em boa medida. Brinco que já me sinto pronto para começar a desfrutar da herança dos filhos. Mas, quem me conhece sabe que eu seria incapaz de atitudes assim. Não faz o meu estilo, muito menos o meu temperamento. Sou uma pessoa naturalmente implicada com tudo aquilo que faço. Por isso, aos 77 anos de vida e 70 de Livraria Cultura, sei perfeitamente que devo passar o leme desse barco para outros condutores; contudo, não se enganem, quando isso de fato acontecer, saltarei para outro barco. Posso me aposentar da empresa, mas não da vontade de viver e realizar coisas. Também não quero nem posso ficar parado. Quando minha mãe deu início ao seu negócio de livros, em 1947, falava-se que por um século passavam cinco gerações. Uma a cada vinte anos. Hoje, em vinte anos, a impressão que temos é a de ver passar quatro gerações diante de nós. Ou seja, a cada cinco anos, uma nova geração se constitui em termos de pensamento, funcionamento, expectativas.

Administradores de empresas sabem que todo negócio precisa de tempo de maturação para dar certo. Com os shoppings, por exemplo, isso acontece. Não basta abrir as portas para garantir a frequência de público, ainda que oferecendo lojas para todos os gostos e bolsos. Só que hoje as mudanças tecnológicas chegam tão rápido que, ao amadurecer, um negócio pode ter-se tornado obsoleto. Opa, acho que ouvi uma pergunta dirigida a mim: "Pedro, imagine que você tenha um passaporte para a eternidade que lhe permita prever se, dentro de setenta anos, ou seja, em 2087, você ainda continuará vendendo livro impresso. Sim ou não?". E eu sei lá! Primeiro, não tirei esse tal passaporte e, segundo, não tenho uma mísera bola de cristal para prognosticar o futuro das mídias, mesmo no dia de amanhã. O livro impresso ainda é o principal produto da indústria editorial e ele vem se renovando em outros formatos – temos hoje o livro digital e o audiolivro, por exemplo. Agora, quem nos garante que no futuro *chips* não poderão ser implantados no cérebro de um recém-nascido, contendo, por exemplo, a obra de Goethe ou de Shakespeare? Antevisões da neurociência, colocando em cena um novo formato, o livro-chip implantado no corpo?

São pensamentos livres, apenas. Mas o que procuro enfatizar é a velocidade das mudanças tecnológicas sobre conteúdos que se constroem mais lentamente. Durante anos vendemos CDs e DVDs em nossas lojas, hoje são produtos completamente ultrapassados, porque há novos suportes para ouvir música ou assistir a filmes. Em outras palavras, você pode curtir Bach ou Pixinguinha com a mesma intensidade dos seus pais ou avós, no entanto, a maneira de acessar a obra desses mestres mudou. Basta ter internet e você baixa o que quiser em seu computador, tablet, celular, em casa, no carro, no aeroporto, correndo no parque... e assim vamos navegando nessa modernidade líquida que o sociólogo polonês Zygmunt Bauman tão bem definiu. Eu também vou surfando nessas ondas, sempre me provocando no seguinte ponto: posso não ter ideia do futuro do livro impresso, mas, qual será o futuro da leitura? Essa é a minha maior inquietação.

Um dia o economista e filósofo Eduardo Giannetti da Fonseca me contou que havia deixado de dar aulas numa importante escola de administração em São Paulo. Eu me surpreendi e perguntei o porquê da decisão. "Porque não quero me relacionar com aluno de pós-graduação limitado a 140 caracteres", respondeu Giannetti, mostrando seu pouco entusiasmo com a geração digital. Em compensação, Donald Trump, o presidente americano, acha possível governar via Twitter! Tudo bem, não vou entrar no mérito se *tuiteiros* são bons ou maus alunos – nem se podem ser bons ou maus presidentes, embora me surpreenda o comportamento do mandatário da Casa Branca –, mas confesso que entendo perfeitamente a bronca do professor Giannetti. Hoje passamos a maior parte das horas do nosso dia ligados a algum aparelho, por sua vez conectado à internet. Estamos constantemente respondendo a e-mails. Dedicamos um tempo enorme às redes sociais. Vamos a um restaurante e, na mesa ao lado, as pessoas não conversam entre si, mas todas falam ou teclam nos respectivos smartphones, chega a ser patético. Daí eu me pergunto: a que horas vamos finalmente ter um tempinho para abrir um livro e... ler?

O grande desafio da era da hiperconexão será, a meu ver, a gestão pessoal do tempo. O dia continuará tendo as mesmas 24 horas, então precisamos reservar algumas para comer, dormir, tomar banho... e passaremos o resto do tempo conectados? Será esse o nosso destino? Perderemos a capacidade de passar duas, três horas, em silêncio, envolvidos com uma boa leitura? Abandonaremos o hábito de caminhar pelas ruas, desconectados, apenas observando os rostos que cruzam com os nossos? Deixaremos de ter a sensibilidade de admirar uma bela escultura em um museu sem ter que fazer um clique rápido para mandar, via celular, uma fotografia desalmada e um ridículo "olha só onde estou" para um amigo distante?

Repito, a minha preocupação maior não é com o futuro do livro, mas com o futuro (e a qualidade) da leitura. Até porque vivemos uma grande confusão entre *entretenimento* e *dispersão*. Você poderá me contradizer: "Certo, Pedro, eu também leio muito no Facebook, então pare de reclamar que as pessoas não leem". Mas, você já parou para analisar como se dá a leitura numa rede social? O que você internaliza dela? Que imagens você pode construir mentalmente numa navegação acelerada, onde quase tudo lhe é dado no plano visual e onde a informação muitas vezes carece de veracidade? Diga francamente: você se sente em silêncio nas redes sociais? Eu acredito que não. Penso que engrossamos um vozerio em que todos falam e ninguém escuta. E leitura, a mais profunda delas, é atividade silenciosa.

Essas reflexões podem sugerir que, como livreiro e empresário, o que eu quero é vender mais e mais o meu produto principal, daí falar tanto na importância da leitura. Posso assegurar que isso não corresponde à verdade. Sempre falarei em defesa da leitura silenciosa, concentrada, que é de fato a leitura transformadora. Estou tão convencido disso que posso sugerir o seguinte aos casais com filhos pequenos: vocês não estipulam horário para a criança comer, fazer lição, tomar banho, escovar os dentes, dormir? Pois, então, estipulem horário para a criança ler, ou para vocês lerem para ela, todos os dias. Desliguem tudo ao redor, cancelem afazeres, despluguem do cotidiano e mergulhem no livro. Aposto que a vida em família vai se enriquecer muito, sem falar no ganho pessoal.

Posso também provar que a minha preocupação com a leitura não é interesseira incentivando algo básico, porém, muito importante: *o livro precisa circular*. Se você compra livros para deixar na estante, criando pó, pare já com isso. Livro tem que passar de mão em mão em casa, na família, no círculo de amigos, no trabalho, no clube etc. O número de leitores por exemplar no Brasil é ridículo, ou seja, lê-se pouco, compartilha-se menos ainda. Nem os jornais impressos circulam em casa, nas empresas, nas instituições de ensino, seja lá onde for, o que chega a ser contraditório em relação às origens da própria imprensa. Jornal foi feito para circular. De novo, acho que consigo ouvir alguém me perguntando: "Mas, Pedro, como emprestar um livro se as pessoas riscam, sublinham, rasgam páginas, descolam a capa?". Quem pensa assim não está errado, porque não existe a cultura de bem tratar o livro em nosso país. E por que não ensinar a criança, desde muito cedo, a cuidar do livro? Por que o livro infantil é tido como um brinquedo que pode ser inteiramente desmontado, destruído e depois arremessado na lixeira? Já pensou nisso, papai? E você, mamãe?

Tenho a convicção de que esse menosprezo pelo livro vem também das nossas políticas educacionais, que impõem a troca do material didático de um ano para outro, ou mesmo entre semestres, só porque o compêndio de matemática ou de geografia mudou a cor da capa. Ah, bom, então não serve para ser guardado para o irmão mais novo? Em geral, não. Nos Estados Unidos, uma nação muito mais rica e desenvolvida, o livro didático deve trocar de mãos de um ano para outro, em todos os níveis de ensino. Livro didático é livro da escola, o aluno faz uso dele, mas as lições são preenchidas em cadernos. E por que isso não acontece no Brasil? É evidente. Para alimentar os gastos estratosféricos do governo, que tradicionalmente investe mal os recursos em educação e, como sabemos, é o grande comprador de livro didático no país. Nosso estudante cresce "aprendendo" que os livros escolares precisam durar apenas um determinado período, e se, ao final, estiverem detonados, não há problema algum. Outro sinal do pouco apreço pelo livro vem do uso de uma palavra portuguesa para nomear o lugar onde se compram exemplares usados: *sebo*. Tudo bem, a palavra é até engraçada, mas virou sinônimo de velharia, depósito ou encalhe de algo que a sociedade não quer mais. Sebo também tem a ver com "ensebado", adjetivo que os nossos compatriotas além-mar usavam para (des)qualificar livros usados, especialmente aqueles cujo manuseio havia deixado as páginas sujas. E o preconceito segue por aí.

Ler é hábito barato, de efeito durador. Quem lê mais pensa e se expressa melhor, como inclusive prova a neurociência. Mas os benefícios não param por aí. Quem lê mais enfrenta melhor as crises. É o que eu observo cotidianamente, porque a leitura amplia o entendimento sobre nós mesmos, os outros e o mundo complexo que nos rodeia. Lendo aumentaremos nossa resiliência contra as intempéries econômicas ou políticas e seus impactos. Vamos descobrir, por exemplo, que as classes sociais não podem ser definidas a partir dos bens de consumo que possam adquirir, mas sim da habitação, do sistema de saúde eficiente, do transporte público e da educação de qualidade a que possam ter acesso. Lendo saberemos diferenciar melhor *trabalho* de *emprego*, quando hoje a tecnologia tende a mandar para casa milhões e milhões de profissionais. Lendo descobriremos que é preciso, desde o berço, construir o nosso futuro garantindo uma velhice digna, porque os sistemas de previdência vão quebrar, um a um, sem falar nos sistemas de saúde. Lendo estaremos mais preparados para a restauração ética do Brasil, algo que precisamos fazer sem adiamentos e assim tentar construir um futuro sustentável para as próximas gerações.

Quando circulo pelas nossas lojas e escolho um livro para mim, pego o exemplar, entro na fila do caixa, tiro a carteira do bolso e fecho a compra. Como qualquer outro cliente. Um dia ouvi alguém comentando na fila: "Olha só, o dono da Cultura pagando livro". Ouvi aquilo pensando comigo que não poderia ser de outra forma. Posso ser o "dono da Cultura", mas tenho um salário na empresa, vivo dentro dele e com ele pago minhas contas ou compras. Achei engraçado o comentário surpreso de um cliente para outro, que no entanto logo rebateu: "É por isso que funciona". Uau, que ótimo! Agradeci muito, em silêncio, aquele pequeno diálogo. Vejam como sempre aprendemos com os clientes...

Antes de me despedir, queridos leitores, arrisco ainda uma reflexão final. Ler também é um hábito solitário. Mas ninguém pode se dizer sozinho com um livro nas mãos. Jamais.

anexos

15.9.1996 *Revista ZH* – Diário de bordo

A nossa vida sexual – A história me foi contada por Pedro Herz, dono da excelente Livraria Cultura, de São Paulo, e que foi fundada pelos pais dele. Uma vez o velho Herz estava no balcão quando se aproximou um cavalheiro e, em voz obviamente muito baixa, perguntou pelo livro *A nossa vida sexual*, do médico alemão Fritz Kahn, e que era então um muito popular manual de iniciação. O senhor Herz não achou a obra e bradou para a senhora Herz, que estava no escritório (escrevo em minúsculas para não tirar a graça): "Querida, ainda temos nossa vida sexual?". O Verissimo e eu ainda temos a nossa vida sexual (separadamente, claro: o esclarecimento é importante nesta era de casamentos homossexuais). Pelo menos escrevemos sobre o assunto. Verdade que em termos nostálgicos, mas acho isso preferível à síndrome do *dirty old man*. E, escrevendo, o Verissimo me infligiu uma segunda derrota. A primeira foi na discussão sobre um transcendente tema: tinha a Maipu, tradicional boate da Voluntários, quartos? O Verissimo dizia que sim e eu que não (ou o contrário), mas ele estava certo. E agora me revela que, entre a categoria das moças de boa família e das damas de vida fácil havia um nicho ecológico para as chamadas moças de programa. Bem, devo dizer que nunca estive muito familiarizado com essa terceira via. O que, pelo menos, teve uma utilidade: serviu de mote para mais um dos notáveis textos do LFV. E que aqui vai como homenagem antecipada ao aniversário do Verissimo.

MOACYR SCLIAR
Escritor e professor

Só São Paulo faria uma livraria assim

Avassalador, disse Antonio Callado, ao entrarmos na Feira de Livros de Frankfurt em 1982. Os gigantescos pavilhões e as estantes com milhões de livros nos esmagaram e provocaram a exclamação do autor de *Quarup*. Avassalador, exclamei, ao entrar na nova Livraria Cultura, na noite histórica do dia 21 de maio, quando Pedro Herz e seus filhos Sergio e Fábio inauguraram o novo espaço, o maior de São Paulo, do Brasil. Imensa e aconchegante é a única definição que me vem. Inteiramente lotada, milhares de pessoas falando, tomando *prosecco*, e, no entanto, o silêncio nos envolvia, os ruídos absorvidos e dissolvidos. Fui descendo, porque entramos pelo alto, e quando cheguei ao meio estava "tomado", pensando: como entender? Um país que não lê. Um país em que as pessoas não compram livros por causa dos preços. E neste país, em menos de seis meses, três livrarias são abertas na mesma região: a Cultura, a da Vila e a Teixeira, enquanto outras empresas, como a FNAC, anunciam expansão. Qual é o mistério? Visão, investimento, coragem, correr riscos, se adaptar ao mundo de hoje?

Pedro Herz surge como figura emblemática. A livraria herdada de dona Eva e do corintiano roxo Kurt tem crescido. Até atingir esse ponto de segunda-feira em que nos sentimos orgulhosos, hipnotizados e felizes. Não me venham falar da Ateneo, de Buenos Aires. Acabamos de passar à frente. Um passeio pela Cultura da Paulista tem de entrar nos roteiros turísticos. Dá prazer olhar e compulsar livros, descobrir novidades do mundo. Estive ali no sábado passado. Centenas de pessoas circulavam, como se a festa tivesse continuado. Encontrar mesa livre no V, o café que o Viena abriu (experimentem o Nespresso, uma novidade), era impossível. Vi pessoas sós em mesa para quatro. Um dia, brasileiros aprenderão a compartilhar.

Não existe escritor que não tenha uma historinha ligada à Cultura, não tenha ali lançado livro e não esteja ansioso para conseguir brecha na agenda lotada até setembro. A Cultura é como a igreja Nossa Senhora do Brasil, o ponto sonhado por noivos que adiam o casamento por meses até achar vaga. Quando, nos anos 1980, estava para lançar meu romance *O ganhador* (que hoje tem outro título, *A noite inclinada*), o Pedro sugeriu: "Por que não vem ao meio-dia e fica o dia inteiro autografando? Quem não pode vir à noite, vem na hora do almoço ou aparece no meio da tarde". Deu certo. Fiquei até as 23h assinando, conversando, sem a pressão psicológica de filas intermináveis que nos deixam ansiosos. Os leitores se diluíram calmos ao longo do dia. Outra vez, quando publiquei *O verde violentou o muro*, vi uma velha no fim da fila, conversei com Pedro, ele foi buscá-la. Levou um qual é: "Tudo bem, é uma gentileza. O senhor me passa à frente, ele assina e vou embora. Vou para casa fazer o quê? Ficar vendo televisão sozinha? Não. Fico aqui conversando, conhecendo gente diferente, me divertindo. Obrigada". Quando ia chegando perto de mim, ela saía, voltava ao final da fila.

Quando o antigo prédio do DOPS foi restaurado e transformado em museu, o secretário da Cultura Marcos Mendonça presenteou pessoas com as fichas que estavam naquele departamento de ordem política. Na minha havia uma referência ao lançamento na Cultura de *Cuba de Fidel: viagem à ilha proibida*, editado pela Cultura em 1978. O policial, segundo a minha ficha, comprou o livro, pediu autógrafo para disfarçar e passou horas anotando nomes de pessoas e reações. Sua conclusão: "Um livro desinteressante, um fracasso como lançamento, não havia muitos simpatizantes com a causa de Fidel". E um alerta: "Ficar atento à livraria, havia esquerdistas e subversivos fingindo-se de leitores". Anexada, a nota de compra do livro, para ser reembolsada. A avaliação dele foi curiosa, mentirosa, naquele noite assinei quatrocentos livros, havia a maior curiosidade a respeito de Cuba, do regime, de saber como se vivia na ilha.

Na inauguração da Cultura com seus 4 mil m², senti emoção ao praticar o ritual de subir a rampa – junto à escada de madeira – porque é quase igual – apenas invertida – à que subíamos para entrar no Cine Astor, dos maiores da São Paulo moderna. O Astor foi inaugurado em 1960 e era dos mais confortáveis, com poltronas largas, preferidas pelos casais de namorados que "sentavam-se de dois", como se dizia. Delícia! Roberto Bielawski, do restaurante Viena, que estava na inauguração com a mulher, Liane, é neto de José Tijurs, o empreendedor que construiu o Conjunto Nacional e o Astor. "Viemos ver o filme de estreia, uma porcaria, *Ao sul do Pacífico*. Mas o cinema conquistou a cidade." Pois o Viena, que nasceu no Conjunto, como a Livraria, tem agora um café dentro dela. Assim se faz a história de São Paulo, por ciclos e instituições que se entrelaçam.

Quem contava nesta cidade estava lá, do governador ao prefeito aos secretários municipais, editores, escritores, professores, do Celso Lafer ao José Mindlin, sem esquecer os infalíveis penetras – há anos conhecemos aquela meia dúzia sempre presente na Cultura, fazem parte, dão cor local. Jorge Schwartz, o professor, sorria: "Além de tudo, o Pedro nos salvou, o cinema esteve ameaçado de cair nas mãos de uma igreja Universal. Virou templo, que templo!". Agora, quem sabe os encontros dos sábados sejam retomados, não mais nas mesinhas da porta, mas dentro, no café. E voltem os chopinhos, uísques e coxinhas com o Ives Gandra Martins, Mário Chamie, Lygia Fagundes Telles, Ana Maria Martins, Antonio de Franceschi, José Nêumanne, Mauro Chaves, Ivan Angelo, Joyce Cavalcanti, Gilberto Mansur e essa geração do Marçal Aquino, Luiz Ruffato, Veronica Stigger, Daniel Galera, André Sant'Anna. Quanto a Marcos Rey, o escultor Calabrone e Murilo Felisberto – com seu eterno jornal e um livro debaixo do braço –, não virão mais, se foram, mas fizeram parte dos sábados na Cultura, e tiveram, como todos, seus nomes no fichário escolar em que estavam as contas dos livros que comprávamos fiado. A noite de 21 de maio terminou com um toque araraquarense.

Indo embora fui parado por um jovem: "Minha mãe foi tua amiga, vocês estudaram juntos, ela é a Terezinha Marasça". Na Araraquara dos anos 1950 Terezinha foi um mito. Alta, bonita, sensual, um corpo de estrela italiana da época, era célebre pelo bom humor, pelo tom despachado, pela irreverência e alto-astral. Em pleno futuro, o passado disse um alô.

IGNÁCIO DE LOYOLA BRANDÃO
Escritor e jornalista

agradecimentos

Viver é passar e deixar passar.
Essa é uma das ideias que me guiaram neste livro, um testemunho muito pessoal. Faço isso no ano em que a empresa fundada por minha querida mãe, Eva Herz, completa 70 anos. Bom momento para celebrar.
E quanto tempo se passou!
Temos, Livraria Cultura e eu, uma diferença de idade de sete anos. Assumo: nasci primeiro. O fato é que sempre vivemos juntos. Atravessamos bons e maus momentos juntos. Navegamos crises juntos. E, ainda que os ventos não soprem muito a favor, decidimos olhar para a frente e crescer ainda mais – juntos.
Portanto, este livro fala de um casamento feliz, de livraria e livreiro. Mas não ouso concluir o relato sem antes agradecer aqueles que fizeram, e ainda fazem, parte dessa história.
Aos meus filhos, Sergio e Fábio Herz, um agradecimento especial. Sem a presença de ambos, nos negócios e fora deles, não teria chegado aonde cheguei, como pessoa.
Aos amigos que fiz pela vida, como Contardo Calligaris, autor da deliciosa introdução, obrigado de coração. Sem amigos não teria concebido muito do que acabei realizando.

À jornalista Laura Greenhalgh, que me acompanhou em capítulos dessa história e hoje escreve comigo este livro, minha gratidão e meu carinho.

Aos nossos clientes, um agradecer constante. Como disse ao longo do livro, sempre aprendi com eles. E a cada dia eles me surpreendem.

Aos nossos funcionários e fornecedores, o reconhecimento profundo. Sem parceiros não se vive uma aventura. E, graças aos meus, hoje posso mirar o futuro.

Como a nossa empresa foi fundada por uma mulher, termino homenageando outra mulher: a escritora britânica J. K. Rowling, criadora do personagem Harry Potter.

Ela já tem os prêmios que merece, mas quero lhe oferecer o meu, por ter feito milhões e milhões de leitores no mundo, leitores que hoje se perpetuam em filhos e, logo, em netos. Obrigado, Rowling!

E muito obrigado a todos os que insistem em escrever livros. Sem autores não faria sentido o lema da Livraria Cultura: Ler para Ser.

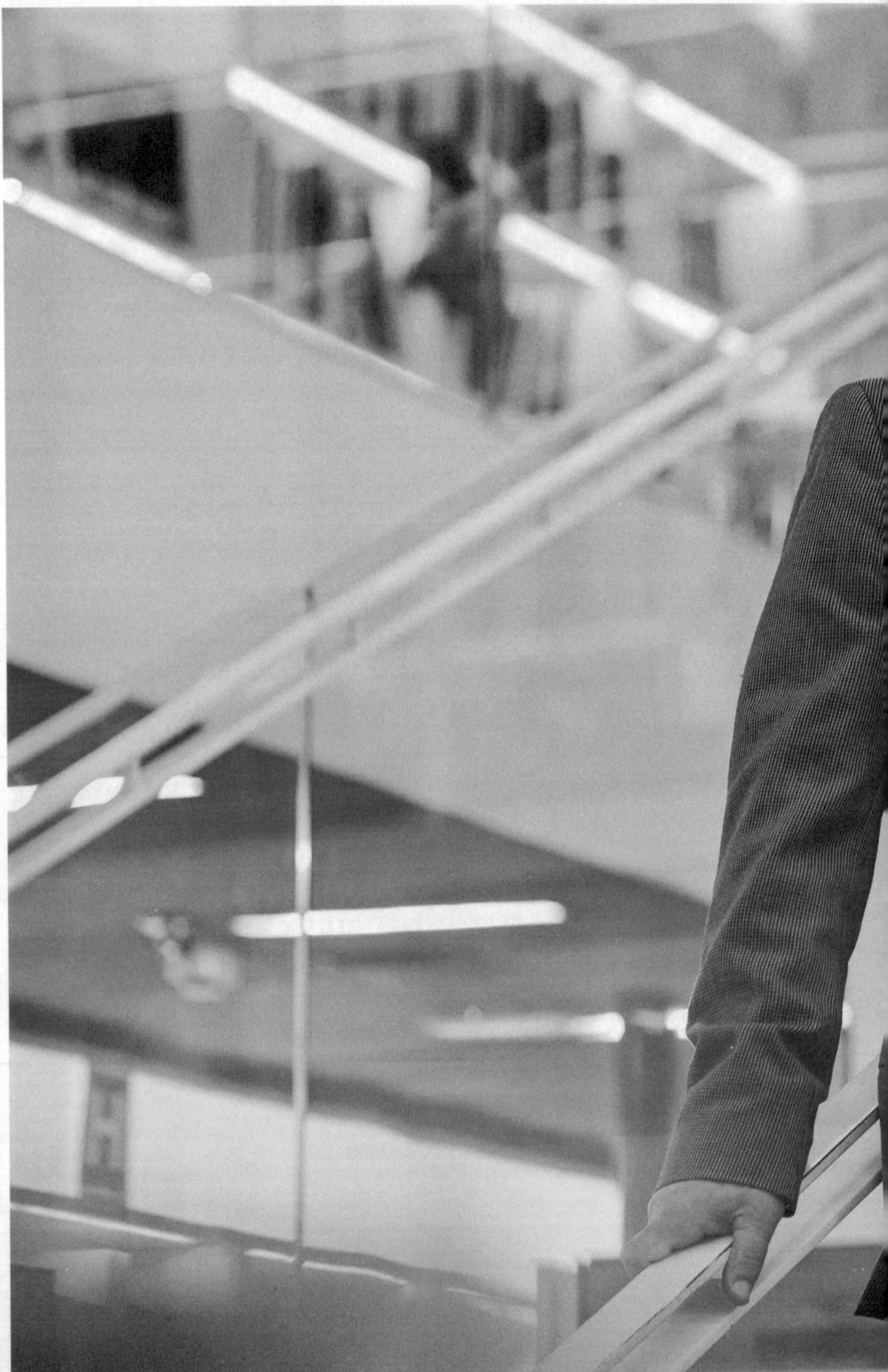

Copyright © Pedro Herz e Laura Greenhalgh, 2017
Copyright © Editora Planeta do Brasil, 2017
Todos os direitos reservados.

Preparação **Sandra Espilotro**
Revisão **Andressa Veronesi e Isabel Cury**
Projeto gráfico e diagramação **Luciana Facchini**
Capa **Luciana Facchini**
Imagem de capa **Pio Figueiroa**
Fotos do miolo **Pio Figueiroa (páginas 1, 220 e 221),
    Ronald Fonseca / Agência O Globo (página 81),
    arquivo pessoal (demais imagens)**
Tratamento de imagens **Trio Studio**
Pesquisa iconográfica **Daniela Chahin Barauna**

Dados Internacionais de Catalogação na Publicação (CIP)
Angélica Ilacqua CRB-8/7057

Herz, Pedro
O livreiro: como uma família que começou alugando 10 livros na sala de casa construiu uma das principais livrarias do Brasil / Pedro Herz – São Paulo: Planeta do Brasil, 2017

ISBN: 978-85-422-1179-5

1. Livreiros e livrarias 2. Livraria Cultura – História
3. Herz, Eva, 1912-2001 – Biografia 4. Herz, Pedro,
1940 – Biografia I. Título

17-1192   CDD 381.45002098161

Índice para catálogo sistemático:
1. Livraria Cultura – São Paulo – História

2017
Todos os direitos desta edição reservados à
EDITORA PLANETA DO BRASIL LTDA.
Rua Padre João Manuel, 100 – 21º andar
Ed. Horsa II – Cerqueira César
01411-000 – São Paulo-SP
www.planetadelivros.com.br
atendimento@editoraplaneta.com.br

Este livro foi composto em Liberation Serif e impresso
pela RR Donnelley para a Editora Planeta do Brasil
em novembro de 2017.